Para Rosita Rivas
con mis mejores
deseos. Gracias por
Tu apoyo y amistad
durante tantos años
Tu amigo

oct-93

MIS
VIVENCIAS
EN
LAS
MAÑANITAS

LAS MA

RUBÉN CERDA

MIS VIVENCIAS EN
ÑANITAS

Director de la edición: Octavio Colmenares Vargas.
Diseño: Roberto García Marines.
Traducción al ingles: Dpto. de Lenguas Extranjeras de
EDAMEX y Patricia Scheuing.
Revisión de textos: Carlos Elizondo.
Realización y montaje: Manuel Ochoa Smith.
Producción editorial: María Guadalupe Pacheco.
Tipografía lasser: Alma Rosa Herrera.
Las selecciones de color, la impresión y
la encuadernación se llevaron a cabo en los
talleres del Centro Cultural EDAMEX,
Heriberto Frías 1104, Col. del Valle, México 03100.

ISBN - 968-409-564-3

Impreso y hecho en México.
Printed and made in México.

LOS *LIBROS* HACEN *LIBRES* A LOS HOMBRES

EDAMEX   HERIBERTO FRIAS 1104   MEXICO 03100

Dedico este libro a la venerable memoria de Robert L. Krause, fundador y alma de "Las Mañanitas". Su recuerdo vive y vivirá siempre entre nosotros.

Rubén Cerda

I dedicate this book to the venerable memory of Robert L. Krause, founder and soul of "Las Mañanitas." Remember of him lives and will always live among us.

Rubén Cerda

ÍNDICE·

PRESENTACIÓN

He aquí el relato de mis vivencias en "Las Mañanitas"; un lugar de hermosos jardines en el que un hombre extraordinario llamado Roberto Krause se propuso crear su propio paraíso terrenal en la ciudad de "la eterna primavera", para emprender años después su tránsito definitivo hacia otra dimensión mayor, desde la cual tengo la certeza de que nos está observando, acompañando y alentando siempre.

Su vida es, en verdad, digna de ser contada, porque encierra muy altas y valiosas enseñanzas, que deseo transmitir como un maravilloso ejemplo para todas las personas que quieren alcanzar el éxito, y muy especialmente para las nuevas generaciones, lograr metas importantes y cumplir una misión digna y útil para sí mismas y para sus semejantes.

La palabra "éxito" se maneja actualmente con diversos significados. Yo tuve la fortuna de conocer íntimamente al señor Krause, de colaborar durante largos años con él y de vincular de algún modo mi propio destino con el suyo. De hecho, al abandonar el mundo dejó en mis manos y en el equipo de trabajo que había formado, la responsabilidad de continuar su obra, lo cual resultó posible porque ya para entonces habíamos podido asimilar su pensamiento y sus ideales; su manera de percibir el mundo, los altos valores que él enarbolaba y de ponerlos en práctica en la bella empresa que él había fundado.

Para Roberto Krause, el ÉXITO verdadero no se reflejaba únicamente en resultados económicos positivos.

Significaba eso, y muchas cosas más. Su horizonte material y espiritual era tan amplio, que no se puede resumir en unas cuantas palabras. Por eso escribí este libro, en el que afloran su calor humano, su hondo sentido de justicia, su generosa consideración hacia los demás y muy especialmente hacia sus colaboradores, desde los del más alto nivel hasta los más humildes, y por encima de todo, su búsqueda incesante de la EXCELENCIA.

Son tres las historias que se enlazan en este libro, hasta formar un solo tejido: la de Roberto Krause, la de mis vivencias personales y la de "Las Mañanitas", en la inteligencia de que esta última abarca otras vidas, las de las personas que con su trabajo cotidiano y su esfuerzo han llegado a formar parte inseparable de "Las Mañanitas".

Ya próximo a finalizar el año de 1955, Roberto Krause adquirió la casa de "Las Mañanitas", bautizada así como un homenaje a la canción conocida mundialmente con ese nombre, para establecer en ella un pequeño hotel muy exclusivo y un magnífico restaurante, que con el correr del tiempo sería considerado como uno de los mejores del mundo, frecuentado por una clientela muy distinguida y que ha recibido numerosos elogios de los más exigentes "gourmets" de México y del extranjero.

Veamos cómo se desarrollaron paralelamente la historia de este establecimiento y las vidas de los seres humanos que fueron y son sus protagonistas.

Don Roberto Krause y su esposa Margot, junto a Rubén Cerda, autor de este libro, y su esposa Linda..

Robert Krause and his wife, Margot, with the author and his wife, Linda.

UN DOCTOR EN DERECHO
CAMBIA SU PROFESIÓN

Robert Krause nació en Newport, Oregon, en los Estados Unidos, el 5 de abril de 1927. Su padre, Leonard L. Krause, era abogado y deseaba que su hijo lo fuese también, para que continuara una honorable tradición en la familia.

Robert tenía una aspiración distinta; deseaba ser arquitecto, pero acatando la voluntad de su padre, después de terminar sus primeros estudios aceptó cursar la carrera de abogacía en la Universidad de Oregon. Obtuvo la licenciatura y más tarde el grado de Doctor en Derecho, el cual le fue conferido el 11 de junio de 1950. En la oficina principal de "Las Mañanitas", entre otros recuerdos suyos, se conserva el diploma que le entregó esa Universidad.

Como una recompensa por el éxito alcanzado en sus estudios, su padre le permitió realizar un viaje a Europa. Entre otros países, visitó Inglaterra, Bélgica, Alemania e Italia, pero lo que le agradó más fue el sur de Francia, en donde tuvo oportunidad de conocer algunos pequeños hoteles muy exclusivos, con una atención de primera por parte del personal y sobre todo un excelente servicio en sus restaurantes.

Durante toda su vida, la palabra predilecta de Robert Krause fue la EXCELENCIA que constituyó la norma básica de sus actos. Y fue precisamente durante aquel viaje, cuando pensó que le gustaría abrir por su propia cuenta un pequeño hotel semejante a esos del sur de Francia.

Sería muy agradable trabajar en eso —pensó— para brindar un magnífico servicio a sus semejantes.

A pesar de todo, regresó a Newport y durante algún corto tiempo ejerció la profesión de abogado junto a su padre. Poco después, en 1953, tomando en cuenta su magnífico desempeño, fue llamado a colaborar en el Departamento Jurídico del Bank of America, en la ciudad de San Francisco, California, en donde permaneció durante dos años, al término de los cuales pudo disfrutar de unas merecidas vacaciones.

Decidió venir a México, en donde visitó los lugares de mayor atracción turística, como: Guadalajara, San Miguel de Allende, Guanajuato, Acapulco, Taxco y Cuernavaca. Este último estaba señalado en su destino. Era el lugar exacto que su corazón buscaba, el sitio en el que habría de establecerse para siempre.

Principiaba el año de 1955. Cuernavaca era entonces una ciudad pequeña que tenía entre sus principales actividades económicas la del turismo. Muchas personas venían de la ciudad de México a pasar aquí los fines de semana, y otras más venían del extranjero para disfrutar cortas temporadas de su maravilloso clima, que le valió el nombre de "la ciudad de la eterna primavera". Se vivía en Cuernavaca con tranquilidad, en un ambiente de armonía y de paz. Había jardines y flores en abundancia durante todo el año. El tiempo transcurría muy amablemente, sin el apresuramiento y las presiones de otros lugares. La gente era cordial, sencilla: había muy pocos habitantes en este lugar; todos nos conocíamos y nos saludábamos. Eso permitía una comunicación con calor humano, incluyendo a la colonia de norteamericanos residentes en Cuernavaca y todo esto permitía cultivar los valores espirituales y morales que significaban tanto para Robert Krause.

Por todo ello, fue en aquel momento cuando él decidió que su verdadera vocación consistía en abrir aquí el pequeño hotel con que había soñado; convertir en realidad el propósito de servicio a sus semejantes. Fue una revelación muy clara la que tuvo. No quería seguir siendo abogado. Al establecerse para siempre en Cuernavaca, podría crear su propio paraíso para satisfacción de él y de sus semejantes, y realizaría también de esa manera su vocación de arquitecto, no sólo para diseñar jardines y construir espacios adecuados destinados a su futura clientela, sino para diseñar y edificar también su propia vida de acuerdo con su gusto y vocación personal, y no al deseo o el capricho de otras personas.

Tomada esa determinación trascendental, regresó a Newport y se la comunicó a su padre. Al escucharlo, Leonard L. Krause pensó que su hijo había perdido la razón.

—¿Te has vuelto loco, Bob? —le preguntó.

—Al contrario —contestó él—; finalmente me he puesto de acuerdo conmigo mismo y sé exactamente lo que debo hacer.

Llovieron en seguida objeciones muy serias de su padre:

—Tú eres un Doctor en Derecho, durante varios años te preparaste para esta profesión. En cambio, no sabes nada de hotelería ni de restaurantes. ¿Cómo piensas tener éxito en algo que desconoces? Y lo que es más, ni siquiera sabes hablar en español. ¿Cómo vas a entenderte con los mexicanos?

Esas mismas preguntas y esos mismos comentarios le hizo el jefe del Departamento Jurídico del Bank of America en San Francisco, cuando Robert se presentó ante él para entregarle su renuncia y comunicarle sus nuevos planes.

—¿Ya lo pensaste bien, Bob? ¿Te das cuenta de lo que estás haciendo? Aquí tienes entre nosotros un magnífico porvenir. ¿Para qué quieres arriesgarte en una aventura como esa en un país diferente al tuyo?

A pesar de todo, el joven señor Krause mantuvo su decisión, y consiguió que su padre le diera su consentimiento. Se trasladó a Cuernavaca lleno de ilusiones, en su propio automóvil, con el poco dinero ahorrado que tenía. En ese momento se iniciaba la aventura en la que Robert Krause alcanzaría un éxito formidable.

LA CASA DE LAS MAÑANITAS

Al llegar a Cuernavaca, el Sr. Krause se alojó provisionalmente en el hotel "Marik Plaza", en pleno centro de la ciudad, y se encargó de recibirlo precisamente mi padre, Ignacio Cerda, que tenía a su cargo la recepción.

Ya en ese momento, a principios de 1955, el destino empezaba a tejer los lazos invisibles, pero muy firmes, que habrían de vincular para siempre mi destino con el del señor Krause.

Mi padre, al ver que se trataba en apariencia de un turista norteamericano que venía a vacacionar, le preguntó:

—¿Cuántos días piensa permanecer usted en Cuernavaca?

—No lo sé —respondió el señor Krause—. Y tal vez dijo en su interior: "Hasta mi muerte".

El señor Krause no tardó en relacionarse con algunas personas que le permitirían ir realizando los planes que traía. En el restaurante "El Allegro", al cual acudía de vez en cuando a comer, hizo amistad con el Capitán de meseros Pioquinto Sámano, quien a su vez le presentó al mesero Antonio Armenta. Pocos días más tarde, en el hotel "Capri" conoció a Manuel Quinto que era el Chef, un excelente cocinero, que con el tiempo llegaría a ser un factor muy importante en el éxito de "Las Mañanitas".

Mi padre, al conocer los planes del señor Krause, le informó que en la calle de Alpuche, actualmente llamada Ricardo Linares, se ofrecía en venta una casa con alberca y un hermoso jardín, llamada "Las Mañanitas". Sus propietarios el señor Sinibaldi y su esposa, habían abierto en ella un restaurante que a los tres meses fracasó. Ante la falta de clientela, decidieron cerrarlo y deshacerse de aquella propiedad.

Al señor Krause le agradó mucho la casa, particularmente su alberca y su amplio jardín. Era un lugar ideal para iniciar el negocio que había pensado, pero no tenía el dinero suficiente para comprarla.

Sin renunciar por ello a su propósito, le propuso al matrimonio Sinibaldi que le rentara la casa durante un año con opción a compra al término de ese plazo; y gracias a su buena preparación como abogado, redactó un contrato cuyas cláusulas le asegurarían dicha posibilidad.

Una vez conseguido eso, hizo las adaptaciones necesarias para convertir la casa en hotel y restaurante, contrató a su equipo inicial de trabajo e inició los preparativo para la inauguración.

A fines de 1957 las habitaciones 2 y 3, la cabaña y una vista de la primera alberca de "Las Mañanitas".

"Las Mañanitas" towards the end of 1957. A view of rooms 2 and 3, the Cabaña and the original pool.

EL INQUIETANTE PRIMER DÍA

El 19 de noviembre de 1955, el hotel y el restaurante "Las Mañanitas" abrieron sus puertas por primera vez, y ese inquietante primer día habría de ser recordado siempre por el señor Krause con emoción.

Ya para entonces, había logrado integrar parte del que resultaría su excelente grupo de colaboradores. Al mando de la cocina se encontraba el chef Manuel Quinto, dispuesto a preparar sabrosos platillos de primera, ayudado por la mayora Esther. En el comedor, muy correctamente vestido, con los zapatos relucientes, estaba el Capitán Pioquinto Sámano con su equipo de meseros: Antonio Armenta, Alberto Acosta y el ayudante Elías Correa. En el bar, el cantinero Emilio Gómez y como garrotero Alejandro Sotelo, quien trabajaba en aquella casa anteriormente con el matrimonio Sinibaldi. Al recordar esto, Robert Krause comentaría después:

—El día en que fui a conocer "Las Mañanitas", cuando tomé la decisión de alquilar la casa, ese muchacho Alejandro Sotelo me recibió con mucha desconfianza. Mientras yo recorría cada habitación muy cuidadosamente revisando hasta sus últimos rincones, él me seguía por todas partes y me vigilaba. Lo mismo hizo cuando recorrí el jardín y observé las plantas y las flores que él se encargaba de cuidar. Resulta gracioso pensar que poco después aceptó trabajar conmigo. De hecho, podría decirse que Alejandro quedó incluido en el activo fijo que yo alquilé junto con la casa.

Al mediodía de aquel 19 de noviembre, cuando se abrieron las puertas del restaurante, todas esas personas mostraban gran entusiasmo. En todos era manifiesto el deseo de alcanzar el éxito que el matrimonio Sinibaldi no había logrado en ese mismo lugar. Pero empezó a transcurrir el tiempo y nadie parecía dispuesto a entrar al restaurante. Todo estaba listo, minuciosamente preparado; las ventanas muy limpias, las mesas debidamente presentadas con arreglos florales en el centro. Lo único que faltaba eran los clientes.

El señor Krause observaba atentamente a su alrededor para cerciorarse de que todo estuviese en orden.

—No podemos darnos el lujo de tener las cosas a medias, decía mientras fumaba con impaciencia un cigarrillo tras otro, y sus colaboradores compartían su nerviosismo. Él quería proyectar desde el principio ese anhelo de perfección, de excelencia, que lo caracterizó siempre.

El hotel contaba únicamente con cinco habitaciones, y el restaurante con cinco mesas, utilizando la terraza como comedor.

La angustiosa espera terminó al fin cuando llegaron dos parejas que pertenecían a la colonia de residentes norteamericanos en Cuernavaca, con el deseo de tomar una copa. De inmediato, el flamante dueño de "Las Mañanitas" los recibió en persona diciendo:

—Soy Bob Krause, originario de Newport, Oregon. He abierto este pequeño negocio con el deseo de ofrecer a ustedes el mejor servicio.

Después de saludarlos en esa forma, el señor Krause los pasó a la sala de la casa, decorada con buen gusto, con una agradable chimenea para las noches frías que hay en Cuernavaca, y en seguida, Pioquinto Sámano tomó la orden de las bebidas que los clientes deseaban, las cuales fueron cuidadosamente preparadas por el cantinero Emilio y servidas con prontitud, junto con una sabrosa botana. Los clientes elogiaron el hermoso jardín y el ambiente de paz que se disfrutaba en "Las Mañanitas", tomaron una segunda copa y preguntaron si podían ver el menú para comer.

Pioquinto se acercó alegremente con un gran pizarrón, en el que aparecían diversos platillos muy apetitosos. "Las Mañanitas" fue el primer restaurante en Cuernavaca que ofreció a su clientela un servicio de comida a la carta, en vez de las "comidas corridas" que en aquella época ofrecían todos los demás. El variado menú había sido cuidadosamente pensado, a lo largo de varios días, en forma conjunta por el señor Krause y el chef Manuel Quinto, de quien comentaba el señor Krause:

—Nuestro chef conoce muy bien su oficio y tiene además una cualidad muy importante: pone amor en lo que está haciendo, tiene creatividad, y cuando entró a trabajar conmigo se esmeró en preparar nuevas recetas de alta cocina.

Al señor Krause se le ocurrió la idea de presentar ese menú en dos pizarrones grandes, uno redactado en español y otro en inglés, como una atractiva novedad. Al ver ese pizarrón, los clientes sonrieron y le pidieron a Pioquinto:

—Mejor díganos usted qué nos recomienda.

Con verdadero entusiasmo, sintiéndose muy halagado, Pioquinto empezó a sugerir algunos de los platillos que con el correr del tiempo habrían de dar celebridad a "Las Mañanitas" como uno de los mejores restaurantes del mundo:

Como entremés, los famosos aguacates que se dan en el Estado de Morelos, deshuesados, asentados en lechuga fresca, rellenos de camarones bañados en salsa rusa, o bien en salsa francesa; la sopa de cebolla "Mañanitas" acompañada con un crotón de pan, servida en una cazuela de barro y gratinada con queso, o bien la sopa fría "vichissoise" preparada a base de poro y papa, adornada con cebollín espolvoreado, asentado el plato en una base de hielo frappé.

Como platillo fuerte les ofreció la especialidad de la casa: pechugas de pollo en salsa Curry, sobre arroz blanco, con diversos ingredientes en pequeños platos separados: mango Chatney, coco, clara y yema de huevo cocido, piña cocida con especias, grano de café tostado, pasas, almendras en trocitos y nueces. También ofreció las enchiladas rojas o verdes rellenas de pollo, acompañadas de carne asada, guacamole con totopos y frijoles refritos, crema y queso rallado.

A estas alturas, con el hambre que tenían y la descripción de esos platillos, los clientes decidieron pedir de todo, con el propósito de compartir una probada de cada cosa.

Un rato después, el señor Krause inició su costumbre de acercarse a la mesa, cuando los comensales disfrutaban ya del platillo fuerte, para preguntarles:

–¿Todo está bien, se encuentran debidamente atentidos?

Los clientes manifestaron su espontánea aprobación y les agradó mucho que el dueño del negocio se preocupara personalmente por complacerlos. Esa costumbre del señor Krause se convirtió en una tradición para el personal de "Las Mañanitas".

Después de felicitarlo, le pidieron que les recomendara algún buen postre, y su recomendación fue la siguiente:

–Les sugiero el "Black Bottom Pie" de chocolate frío, que es la especialidad de la casa, con una base de galletas con ron, cremel de chocolate y chocolate rallado encima, helado y servido en rebanadas.

Pioquinto Sámano, parado solemnemente junto al señor Krause, atento y servicial, compartió la satisfacción del caluroso elogio de los clientes, pues cabe comentar que él era el único de los empleados que hablaba inglés. Por esa razón y por su eficiencia era el Capitán de los meseros; y su conocimiento del idioma no sólo resultaba muy valioso para el restaurante, sino para el señor Krause en lo personal también, pues como él mismo comentaba, al evocar estos primeros recuerdos con sus amigos: "si no hubiera sido por él, no sé cómo hubiera podido ponerme de acuerdo con mis colaboradores".

La historia de "Las Mañanitas" había empezado bien. Los cuatro norteamericanos que fueron sus primeros clientes se mostraban muy satisfechos, y no tardaron en recomendar ese restaurante con tan buen servicio entre los miembros de la colonia de norteamericanos residentes en Cuernavaca, que era numerosa e importante. Aquel día, la fama de "Las Mañanitas" se fue gestando y empezó a correr. En la actualidad, está reconocido en los Estados Unidos y en Europa como uno de los mejores restaurantes del mundo. Ha recibido muchos y muy alentadores reconocimientos. Entre ellos, se le ha otorgado durante varios años el HOLIDAY MAGAZINE'S AWARD. La Compañía Franklin Mint, cuando realizó una investigación para seleccionar los veinticinco restaurantes más apreciados en el mundo, incluyó a "Las Mañanitas" como el único en América Latina. Para identificar a esos restaurantes la Compañía Franklin Mint formó una colección de veinticinco juegos de fina porcelana, consistente en una Demitasse para café. Una réplica de esa preciosa colección se encuentra en un discreto aparador en "Las Mañanitas", en donde puede ser apreciada por sus huéspedes. Por su parte, la revista "TRAVEL HOLIDAY", que entrega anualmente un diploma a los mejores restaurantes del mundo, lo ha otorgado cada año a "Las Mañanitas", desde 1968 hasta la fecha. La selección para estos premios se hace por un Comité de Restauranteros que cuenta con expertos investigadores a nivel mundial, para exigir que se cumplan rigurosamente todos sus requisitos.

En la actualidad, muchas personas acuden a comer o a cenar en "Las Mañanitas" cada semana.

La publicación "The News", que se edita diario en la Ciudad de México, señaló los factores fundamentales para ese éxito:

Ante todo, la notable capacidad de su fundador Bob Krause, su trato hospitalario, su talento y el entusiasmo que supo infundir en sus colaboradores.

Otro factor incuestionable es la excelencia en el servicio y la comida. En esto ocupa un lugar muy importante nuestro querido Chef Manuel Quinto, quien todavía en la actualidad, a pesar de algunos problemas de salud, supervisa magistralmente su cocina, con el apoyo de otras personas expertas que lo secundan, principalmente Marcelino Araujo.

A esos nombres tendríamos que añadir muchos más desde los que ya cité como pioneros, hasta los de ingreso más reciente. Como son muchos para mencionarlos a todos en esta parte del libro, he incluido al final, como un apéndice, a todos ellos, por estricto orden alfabético, sin distinciones, además de los que ya fallecieron y a los que voluntariamente abandonaron su empleo. Todos ellos forman un cuadro de honor, un cuadro de excelencia, y a todos ellos expreso en estas líneas mi más amplio reconocimiento.

Un factor más ha sido el grato ambiente, la atmósfera de paz y de belleza que se respira en "Las Mañanitas" y que refleja el más ferviente deseo de brindar satisfacción y bienestar a todos los clientes.

Pero yo debo agregar algo de la mayor importancia que ha sido la clientela misma, que generosamente nos ha brindado su preferencia durante largos años. Esa clientela ha estado formada por mexicanos y extranjeros que en tan numerosas ocasiones han venido a disfrutar de nuestro ambiente desde diversas partes del mundo. A tan distinguida clientela dedico un capítulo especial en este libro, como un testimonio del agradecimiento de "Las Mañanitas".

Pero el señor Krause, inspirador y alma de "Las Mañanitas", resume el éxito de este negocio que él fundó en una sola palabra: A M O R.

Ese amor que inspiraba todos sus actos empezaba por él mismo. El amor a uno mismo, correctamente entendido, es lo que permite diseñar la propia vida con aspiraciones nobles que se van a proyectar hacia los demás. Por eso el resultado de nuestros actos debe ser siempre positivo, por encima de los tropiezos, las asperezas o los momentos de dolor que existen en cualquier camino.

En "Las Mañanitas" se percibe claramente ese amor, por el cuidado puesto en cada detalle de sus habitaciones, de sus jardines y de cada uno de sus espacios. El señor Krause amaba a sus empleados, que formaban parte de su familia, la familia de "Las Mañanitas"; proyectaba ese amor hacia sus clientes que para él también eran miembros de esa familia. Y de un modo muy profundo amaba a la naturaleza, a los árboles, a las plantas y a cada una de las aves que adornan nuestros jardines.

Esa fue la razón fundamental de su éxito, y el motivo por el cual todos lo recordamos con veneración.

Aquel primer día, el 19 de noviembre de 1955, terminó con felicidad cuando otros clientes se presentaron. Al término de la jornada, cuando llegó la hora de levantar todo el servicio, tanto el señor Krause como sus empleados pudieron respirar con satisfacción. Habían tenido un buen comienzo, no cabía la menor duda.

En noviembre de 1957, al cumplirse el segundo aniversario de "Las Mañanitas" el entusiasta equipo de trabajo celebró en compañía de Don Roberto Krause.

Robert Krause and his "team" celebrate the second anniversary of "Las Mañanitas" in November 1957.

En 1969 durante un alegre convivio, encontramos a las siguientes personas: de izquierda a derecha, Sergio Osorio, Don Roberto Krause, Rubén Cerda, Reyes Díaz, Antonio Velázquez, Marcos Salazar, Manuel Quinto, Porfírio Saucedo, Sergio Reyes, Fernando Ibarra y José Luis Hernández..

Celebrating in 1969. Among those present were: Sergio Osorio, Don Roberto Krause, Rubén Cerda, Reyes Díaz, Antonio Velázquez, Marcos Salazar, Manuel Quinto, Porfirio Saucedo, Sergio Reyes, Fernando Ibarra y José Luis Hernández.

FILOSOFÍA DEL SEÑOR KRAUSE PARA FORMAR SU EQUIPO DE TRABAJO

Las acciones de todo ser humano son el reflejo de su manera de pensar y de sentir. Robert Krause fue siempre un hombre inteligente y generoso, que sentía un profundo afecto por sus semejantes.

Una de sus convicciones básicas era que todos los seres humanos somos esencialmente iguales, y por lo mismo, merecemos el respeto, el afecto y el estímulo de los demás, independientemente de nuestra condición social y del nivel que cada quien ocupe en su trabajo.

Para él, todos sus empleados, a los que prefería llamar colaboradores, tenían la misma importancia desde el más humilde ayudante de cocina hasta el gerente de "Las Mañanitas".

Esta filosofía del señor Krause impregnada del humanismo más profundo, resultó determinante para mí y señaló definitivamente mi camino. Por recomendación de mi padre, yo tuve la fortuna de empezar a trabajar en "Las Mañanitas" tres meses después de que el restaurante y el hotel habían sido inaugurados, esto ocurrió el 25 de febrero de 1956, cuando se me asignó el puesto de mozo; un puesto humilde, que consistía en cambiar y limpiar los ceniceros de las mesas, asear las ventanas y los pisos, montar las chimeneas con periódicos y velas, y lavar los vasos.

Yo tenía entonces quince años de edad, y para mi mayor fortuna, más tarde me correspondió ser ayudante de Reyes Díaz Beltrán, un mesero que ingresó poco después que yo, y que implantó un estilo único de servicio en "Las Mañanitas". Fue mi maestro, mi amigo, y le viviré siempre muy agradecido.

Por supuesto, en aquel tiempo yo no hablaba una sola palabra de inglés, por lo que en un principio no tuve comunicación directa alguna con el señor Krause, aunque de vez en cuando recibía de él un saludo afable, alguna demostración de consideración y afecto, como lo hacía con todos los demás.

La comunicación verbal se lograba con él mediante la señora Elizabeth Spens, una mujer norteamericana que hablaba perfectamente el español y que actuaba como gerente del hotel.

Por otra parte, debo aclarar que aunque cada empleado tenía atribuciones específicas que se le asignaban, el señor Krause nos enseñó desde un principio que debíamos actuar todos en equipo; entre nosotros no debía haber "especialidades"; en caso necesario cada empleado tenía que estar dispuesto a hacer de todo. En nuestra organización estaba prohibido decir: "A mí no me corresponde, no me toca".

Como un ejemplo de lo anterior, recuerdo que a Alejandro Sotelo, el garrotero que adquirió el señor Krause como una parte del inventario de la casa de "Las Mañanitas", le decíamos "el mil usos", porque trabajaba igual como garrotero, que como jardinero, o cuidador.

Esta filosofía de trabajo, contribuyó mucho para lograr la EXCELENCIA en el servicio que el señor Krause deseaba y consiguió. Pero además de que en esa forma se podían cubrir ausencias y omisiones entre el personal, la idea de trabajar en equipo, en el famoso "Team work" que tanto agradaba a los norteamericanos en cualquier actividad, desde el deporte en equipos hasta las grandes organizaciones empresariales, eso nos infudió un gran amor a "Las Mañanitas", porque ahí todos nos sentíamos importantes y hermanados. Las llamadas "jerarquías" en el trabajo suelen causar muchos problemas: divisiones, envidias y rencores. En "Las Mañanitas" jamás existió eso. El espíritu generoso del señor Krause se transmitía a nosotros; y resultó tan positivo aquello, que varios años más tarde, al morir el señor Krause, nos demostró que ni siquiera él era indispensable.

Nos demostró también, que independientemente de los buenos resultados que íbamos alcanzando, todos los días debíamos librar una nueva batalla de servicio. Cada mañana, al empezar a trabajar, había que renovar los propósitos y el esfuerzo. El señor Krause no podía permitir que nos quedáramos en "los laureles" que habíamos conquistado el día anterior.

La perfección total no se logra nunca —decía él—; pero hay que luchar todos los días por alcanzarla.

Y ciertamente, nuestro trabajo era muy intenso, teníamos que esforzarnos todos para superarnos; pero esto no quería decir que para el señor Krause nuestra única obligación en la vida consistiera en trabajar. Él concedía una gran importancia a las horas de descanso, a la vida familiar, a la recreación y a la meditación. Las horas libres, el día de descanso semanal y los períodos de vacaciones le parecían sagrados. Él mismo, no obstante ser tan intensamente activo que intervenía en todo, se tomaba un buen tiempo de reposo por las tardes, en las horas que transcurren desde que termina el servicio de comida hasta que inicia el de prepararnos para servir las cenas. Se retiraba a su habitación, pues en aquel tiempo vivía en "Las Mañanitas", para recuperar adecuadamente su estado de ánimo y sus energías.

En ese mismo intervalo de tres horas, los meseros, los cocineros y sus ayudantes salían del hotel para ir a sus casas o para reunirse con sus amigos.

Aunque en aquel tiempo el señor Krause vivía solo en su cómoda habitación de "Las Mañanitas", desde entonces sentía un profundo respeto por la vida familiar. Con frecuencia hablaba con sus empleados acerca de esto; les preguntaba si todo marchaba en sus hogares, se interesaba por el bienestar y la educación de sus hijos y los ayudaba a resolver sus problemas cuando existían.

Una parte importante de su política laboral eran los préstamos en casos de necesidad, aunque era muy estricto al exigir el pago de los mismos. El cumplimiento - consideraba - les permitía volver a pedir prestado más adelante, cuando hiciera falta.

Y a ese respecto, su más noble preocupación fue que sus subalternos tuvieran una vivienda decorosa. Podemos decir que de algún modo, fue precursor de los modernos programas de viviendas para los trabajadores, pues se encargó de proporcionar a sus empleados el financiamiento necesario para adquirir una casa de su propiedad.

Además de esto, estableció otros incentivos, como los "bonos de verano", como un premio al buen rendimiento de cada quien.

Con respecto a las propinas que se recibían de la clientela, y que constituían un ingreso completamentario al sueldo, el señor Krause consideró conveniente que se pudiera distribuir de un modo equitativo entre el personal, de manera que no fuesen únicamente los meseros los favorecidos. Se estableció la tradición de que con aquellas propinas se formara diariamente un fondo común un "pool" que al término de cada jornada se repartía proporcionalmente.

A 34 años de distancia, yo recuerdo claramente todavía y con emoción, que en mi primer día de trabajo recibí un total de cinco pesos, gracias a la parte que me tocó de esas propinas. En aquel tiempo, sobre todo para un muchacho de clase humilde como era yo, esos cinco pesos me parecieron una cantidad muy importante. Los recibí con alegría, y corrí a la casa para entregárselos a mi madre, la cual se soltó llorando.

Recuerdo que aquella noche pensé:

–Si logro ganar cinco pesos todos los días, voy a volverme rico.

Aquel primer día de trabajo fue muy importante para mí. En la mañana, a hora muy temprana, mi madre me entregó un pantalón impecablemente planchado y una camisa bordada por ella misma, junto con su bendición.

–Quiero que te veas muy bien —me dijo—; que le causes una buena impresión al señor Krause.

Yo me sentí feliz con aquella camisa tan amorosamente bordada hasta en las mangas y cuello. En verdad, ninguno de mis compañeros de trabajo tenían una camisa como esa.

Cuando me dirigía al hotel, bastante nervioso por ser mi primer día, recordaba las palabras que en una ocasión me había dicho mi abuelo materno:

"Procura que cada persona que te conozca se sienta orgullosa de ti, y que cada vez que te enseñen algo, no tengan la necesidad de repetirlo".

Estas palabras ejercieron en mí una influencia decisiva porque encerraban un gran mensaje. Es desesperante un ser humano al que se le tienen que repetir las mismas cosas, enseñárselas varias veces para que las aprenda. Puedo asegurar, sin envanecerme, que gracias a lo que mi abuelo me dijo, nunca ha sido necesario que se me explique dos veces cómo hacer algo bien.

Mi padre me recomendó, por su parte, que procurara recordar muy bien el nombre de cada cliente. He seguido al pie de la letra su consejo. Mi experiencia personal ha comprobado que a la clientela le agrada mucho que se les llame por sus nombres. Eso le dá relieve a cada persona, subraya la importancia que tiene para nosotros cada uno de nuestros clientes.

Pero por encima de todo, yo quería que mi abuelo materno se sintiera muy orgulloso de mí, aunque en aquel momento no pudiera verme. Mi abuelo vivía en la pequeña población de Tanhuato, Michoacán, en la que yo nací y pude disfrutar durante mi infancia el amor de mis familiares, particularmente el de mis abuelos y el de mi tío Alfredo. De todos ellos, el más importante para mí fue siempre mi abuelo, y lo sigue siendo; un ser humano de muy alta calidad, que fue arriero en su juventud, y más tarde adquirió un camión para transportar semillas.

A lo anterior, debo agregar otros rasgos del señor Krause que reflejan su manera humanitaria de tratar al personal y su gran habilidad para motivarlo.

Cuando él se sentaba a comer después de haber atendido a los clientes, acostumbraba compartir la mesa con algunos de sus empleados. Mediante un sistema de rotación, esta convivencia les iba tocando a todos, incluyendo a los que tenían asignadas las funciones más humildes, mientras los demás tenían que servirles la comida como si se tratara de clientes del restaurante, con las mismas atenciones y respeto. A sus comensales en turno les preguntaba:

—¿Qué se siente estar del otro lado del servicio, sentados ante una mesa?

Además de lo anterior, igualmente en forma de rotación, enviaba a cada uno de los empleados a la ciudad de México para que comieran en algún buen restaurante, recomendándoles que observaran la calidad del servicio, comparándolo con el de "Las Mañanitas", anotaran los precios y le hicieran un pequeño resumen de lo que él llamaba "comidas de aprendizaje".

Tanto los meseros, como los cocineros y sus respectivos ayudantes obtenían así una valiosa experiencia.

Por eso es muy explicable que la mayoría de los empleados de "Las Mañanitas" se hayan sentido siempre muy satisfechos de trabajar aquí. Tenemos varios empleados con más de treinta años de antigüedad. Pero a pesar de todo, se ha dado el caso de algunos que se retiran porque otros hoteles de Cuernavaca o de distintos lugares les prometen aparentemente mejores condiciones de trabajo. En realidad, no siempre les cumplen lo ofrecido. Se trata de aprovechar la excelente preparación que esos empleados han recibido aquí. Algunos de ellos se arrepienten de haberse ido, y más tarde o más temprano desean regresar con nosotros. Pero en "Las Mañanitas", el señor Krause estableció que el que se va únicamente puede regresar si anteriormente dejó aquí una buena imagen de servicio.

Un principio inflexible entre nosotros se refiere a la repartición equitativa del "pool" de las propinas. El mesero o el ayudante que guarda una propina en su bolsillo sin aportarla al fondo común, queda automáticamente despedido. Esto último se estableció así no por imposición del señor Krause, sino por un acuerdo del propio personal.

El espíritu de compañerismo y de hermandad entre todos los empleados de "Las Mañanitas" se ve fortalecido en cada aniversario, cuando el hotel y el restaurante se cierran en la noche para el público y se organiza una alegre fiesta de celebración, en la que sólo pueden participar los empleados y sus familiares. Algunos de esos festejos han sido particularmente significativos. Basta decir que en la noche del Primer Aniversario, el señor Krause y la señora Elizabeth Spens se encargaron de servir personalmente las mesas en las que cenaban los empleados; y que en el Vigésimo Aniversario, el 19 de noviembre de 1975, el señor Krause obsequió una moneda de oro, un centenario, a cada uno de los empleados que tenían mayor antigüedad, y monedas más pequeñas de oro a otros empleados de ingreso posterior.

Quiero añadir algo muy significativo también: todo el personal de "Las Mañanitas" está formado por mexicanos. A pesar de que el señor Krause era de origen extranjero, se idenficó profundamente con México, al cual llamaba "mi país". Incluso llegó a castellanizar su nombre de pila; le gustaba que lo llamaran Roberto Krause.

En algunos de los restaurantes de mayor categoría en México y aun en Cuernavaca, se tenía la costumbre de contratar a un Chef extranjero, de preferencia europeo (un francés, un italiano). El señor Krause tenía una visión tan profunda de las cosas que desde antes de abrir las puertas de su restaurante por primera vez, eligió a un hombre originario de Taxco, Manuel Quinto, para ponerlo al frente de la cocina y depositar en él una parte importante del futuro de "Las Mañanitas".

Los buenos resultados de esa sabia decisión están a la vista, tenemos uno de los mejores restaurantes del mundo, como ya lo he dicho, y en varias ocasiones los dueños de muy prestigiados restaurantes intentaron llevarse a Manuel Quinto con muy atractivos ofrecimientos. Por supuesto, Manuel siempre los rechazó.

–Yo amo "Las Mañanitas" —dice con orgullo—. Formo parte de este lugar. Desde el primer día me puse la camiseta y la sigo llevando con satisfacción.

El 19 de mayo de 1961 Margot Urrea y Roberto Krause contrajeron matrimonio durante una solemne ceremonia en la que ofició el sacerdote William Wasson.

Margot Urrea and Robert Krause are married by Father William Wasson on May 19, 1961.

EL DESTINO APRIETA SUS LAZOS

Para testimoniar mi eterna gratitud al señor Krause y la profunda admiración que siempre me inspiró, deseo referirme en este capítulo a los veinticinco años en los que tuve el privilegio de colaborar con él y de conocerlo a fondo; de apreciar sus cualidades y aprender muchas cosas buenas de él.

Al señor Krause le debo toda mi formación. A los quince años, cuando empecé a trabajar aquí, yo no sabía nada, ni siquiera las obligaciones tan humildes que se me encomendaron. No podía hablar personalmente con el señor Krause, no sólo por el obstáculo del idioma, sino porque lo sentía muy por encima de mí. Sin embargo, con su bondad característica él se me acercó poco a poco.

Él conocía a mi padre, que fue la primera persona que lo atendió en el hotel "Marik Plaza" en Cuernavaca; me preguntaba por él, y poco más tarde, cuando mi padre se fue a trabajar a los Estados Unidos, el señor Krause se preocupaba por mi madre y mis hermanos menores, de cuyo sostenimiento yo tuve que hacerme cargo.

Al enterarse de que sólo había cursado hasta el quinto año, el señor Krause me obligó literalmente a terminar la primaria y a cursar después la secundaria en una escuela nocturna. A mí me resultaba muy pesado eso, porque durante todo el día, desde muy temprano, tenía que trabajar duro; pero él me lo exigió tenazmente y tuve que obedecerlo y mostrar un buen aprovechamiento en mis estudios, puesto que tenía la obligación de mostrarle al señor Krause mis calificaciones.

No necesito decir lo mucho que se lo agradezco. Sus exigencias verdaderamente paternales conmigo me ayudaron muchísimo en la vida. Para entonces yo había ascendido de mozo a garrotero en el hotel; fue mi primer peldaño y también me había encariñado poco a poco con la escuela. Ya no me sentía un pobre muchacho insignificante; me había convertido en un buen estudiante, y en el colegio logré hacer muy buenas amistades.

A ese respecto, debo mencionar algo que a mí siempre me extrañó mucho: mientras el señor Krause trataba amablemente a casi todo el personal de "Las Mañanitas", conmigo fue demasiado estricto. Algunas veces me pareció que exageraba sus exigencias, que no me trataba como a los demás.

¿Cómo iba a imaginarme, en aquellos primeros años, a qué se debía eso, lo afortunado que yo era, lo que el señor Krause me tenía reservado?

Mi destino, el cual agradezco a Dios, había empezado a tejer sus lazos desde el día en que el señor Krause conoció a mi padre. Y algunos meses después fue apretando esos lazos poco a poco en beneficio mío, sin que en un principio yo me percatara bien de lo que sucedía.

¿Por qué se fijó en mí el señor Krause y me fue preparando para nombrarme después su sucesor, y lo que es más conmovedor aún, para que yo pasara a formar parte de su familia como un hijo? No lo sabré nunca. Lo más increíble de todo es que en aquellos primeros años llegué a sentirme preocupado por la forma extremadamente enérgica en que me trataba. Más tarde comprendí que a los ojos de él yo no era uno más de sus empleados; que me tenía reservado un lugar aparte en "Las Mañanitas" y en su corazón.

Cuando empecé a trabajar aquí, el señor Krause vivía solo, en lo que había sido anteriormente el cuarto de servicio de la casa de "Las Mañanitas", que adaptó adecuadamente, y al cual añadió otro para utilizarlo como oficina. Su única compañía era una perrita boxer llamada "Pixie" que se convirtió en la mascota de "Las Mañanitas" y que él compró en Cuernavaca para sustituir a otra perrita semejante llamada "Lindy" que había tenido en Oregon. Él quería mucho a los animales, particularmente a las aves. Por eso el jardín de "Las Mañanitas" se adornaba con diversas especies desde las ruidosas guacamayas de vivos colores y los pericos, los vanidosos pavos reales hasta los cisnes y las esbeltas grullas que hasta la fecha atraen a nuestra clientela. Precisamente una de esas grullas sirvió de inspiración al señor Krause para diseñar el logotipo de "Las Mañanitas", que se puede apreciar en toda su vajilla: una grulla en color azul sobre fondo blanco.

A nosotros nos preocupaba que el señor Krause viviera solo, pero unos cuantos años después tuvimos la satisfacción de verlo frecuentemente en compañía de la señorita Margot Urrea, originaria de Sonora, y que había venido a residir en Cuernavaca con su familia. No era extraño que invitara a su novia a comer en "Las Mañanitas", y que pasaran algún tiempo sentados en la mesa 27, conversando de la mano.

Margot Urrea era una jovencita de gran belleza física y espiritual, que había recibido una esmerada educación, y todo lo hacía con delicadeza, sonriendo con gran amabilidad.

A pesar de que ella era muy joven todavía, casi una adolescente en cuanto a su edad, era ya una mujer en plenitud, toda una dama; pero el señor Krause al dirigirse a ella la llamaba siempre Niña.

Desde el primer día los empleados de "Las Mañanitas" aprendimos a respetarla y admirarla.

Las costumbres de su familia eran muy estrictas. Ella tenía que regresar a su casa a determinada hora y había sido educada en la religión católica. El señor Krause, en cambio, había sido instruido por su madre en la religión judía, y antes de morir ella lo obligó a jurarle que nunca abandonaría esas creencias, su apego estricto a las leyes de Moisés. El señor Krause no faltó a su promesa, pero mostró el más profundo respeto por las creencias de la mujer que sería su esposa, y aceptó que contrajeran matrimonio dentro de la Iglesia Católica.

La boda se festejó en grande el 19 de mayo de 1961, con gran alegría para el personal de "Las Mañanitas", cuyas puertas fueron cerradas al público en esa ocasión tan significativa.

Con tal motivo, empezó la segunda ampliación de "Las Mañanitas". La primera había consistido simplemente en añadir dos habitaciones más a las cinco que tenía originalmente el hotel. En la segunda, se construyeron otras cuatro habitaciones y una suite en la que el señor Krause pasó a vivir junto con su esposa. Él mismo colaboraba en los planos y en la construcción con el Ing. Jesús Sánchez que se encargó de aquella obra. El deseo del señor Krause de ser algún día arquitecto se estaba cumpliendo.

También por aquella época empezó la adquisición de algunas obras de arte que iban sustituyendo a los cuadros de muy escaso valor que había originalmente. El buen gusto del señor Krause se manifestó en esto, y en la actualidad contamos con obras escultóricas y pinturas que son muy apreciadas por nuestra clientela.

Con motivo de su boda, el señor Krause procuró disminuir un poco su intenso ritmo de trabajo para dedicar algún tiempo a su esposa, y más tarde a su única hija Rebeca, dejando así más campo de acción al Gerente de "Las Mañanitas" que él había nombrado algún tiempo antes, Salvador Castañeda; un hombre muy eficiente que me ayudó mucho en mis primeros años de trabajo, y que más tarde se independizó para poner su propio hotel.

Con estas ampliaciones, el éxito de "Las Mañanitas" fue en aumento, y a los clientes les agradaba mucho disfrutar de una buena comida en las mesas que se colocaban frente al jardín.

Cuando Rebeca empezó a crecer, el señor Krause y su esposa decidieron vivir fuera del hotel, y se mudaron a una casa que habían mandado construir en la Avenida Palmira, a la cual le puso el nombre de "Villa Niña". Para entonces, yo me había encariñado ya con su pequeña hija Rebeca y ella también conmigo; por eso algunas de mis horas libres emprendíamos juntos algún paseo. Ese cariño mutuo ha seguido existiendo siempre; la niña y su madre me trataban como si yo formara parte de la familia, y aunque en la actualidad Rebeca vive con su esposo y sus hijos en la ciudad de México, nuestros vínculos de afecto se mantienen vivos.

Rebeca ha sido siempre una mujer dulce, amable, llena de bondad. No sólo iluminó la vida de sus padres, sino también la de otras personas, entre las que me incluyo. Y tal vez su cualidad más grande ha sido la discreción. A pesar de haberla tratado tanto tiempo, jamás la oí hablar mal de nadie. Sus palabras son siempre positivas.

Yo debo agradecerle muchas cosas. En primer lugar, la alegría que ha sabido transmitir siempre a las personas que la rodean. Más tarde cuando contraje matrimonio, el cariño que le brindó desde el primer día a mi esposa Linda, y que continuó después hacia mis dos hijas, a las cuales considera como sus hermanas. De hecho, cuando sus padres emprendían algún viaje, Rebe venía a vivir con nosotros esas temporadas. Pero lo más importante de todo es que al morir su padre, ella depositó en mí su afecto filial; en cierto modo, por voluntad de ella, pasé a ocupar el lugar que tenía su padre. Me lo demostró, por ejemplo, con motivo de la ceremonia de su graduación en la escuela en la que cursó sus estudios y después el día de su boda, cuando la llevé hasta el altar. Considero todo esto un privilegio y un honor, al igual que haber sido el padrino de bautizo de su hijo Francisco. Por medio de ella, la familia Krause y la familia Cerda se han convertido en una sola.

Yo había pasado de mozo a garrotero, posteriormente a mesero, y más tarde a Capitán, lo cual me parecía maravilloso y me permitía sostener cada vez con más comodidades a mi madre y pagar la educación de mis hermanos, a quienes yo les exigía que fueran a la escuela y me mostraran sus calificaciones, como lo había hecho conmigo el señor Krause.

En cuanto a mi propia educación, después de terminar la secundaria me inscribí en la preparatoria nocturna, y posteriormente el señor Krause me envió a la ciudad de México a perfeccionar mi inglés. Debo decir que en "Las Mañanitas" se impartían clases particulares de inglés a todos los empleados. Pero en mi caso, el señor Krause quiso que mi conocimiento de ese idioma se ampliara, y por eso me envió al "México City College".

El noventa por ciento de sus alumnos eran hijos de norteamericanos, de modo que en ese colegio se hablaba inglés, tanto en las clases como en los recreos. Me resultaba difícil competir con ellos, no sólo en cuanto a los estudios, sino en las relaciones sociales tan amplias que ellos tenían y al nivel de vida que llevaban, pues casi todos tenían su propio automóvil y bastante dinero para gastar. Pero me enfrenté a todo, bondadosamente ayudado por la directora del plantel, la señora Elizabeth López, y por las palabras que me había recalcado el señor Krause en Cuernavaca:

—Recuerda que nadie vale más que tú ni menos que tú. Todos los seres humanos son igualmente valiosos.

Me sacudí poco a poco los complejos, y regresé a Cuernavaca soñando ya con llegar a ser algún día gerente de "Las Mañanitas".

Ahí, en esos bellos jardines y en ese hotel, estaba mi verdadero mundo, la hermosa realidad a la que yo deseaba pertenecer siempre. Ahí estaba mi destino, que seguía apretando sus lazos gradualmente.

LOS PADRES DEL SEÑOR KRAUSE

Una maravillosa sorpresa me estaba reservada: el señor Krause me envió a los Estados Unidos para que pusiera realmente en práctica el idioma inglés, me alojara en algunos hoteles norteamericanos en los que pudiera percatarme de sus sistemas de organización, así como la calidad de sus servicios, y por encima de todo, pudiera pasar algunos días en Oregon con los padres del señor Krause. Ese era el mayor privilegio que me brindaba.

Leonard y Ethel Krause vivían en la ciudad de Portland. Cuando llegué a ese lugar fui recibido por dos familiares de ellos, Mike y Steve Spiegel, a quienes yo había conocido un año antes porque pasaron sus vacaciones en "Las Mañanitas", ocasión en la que me brindaron su amistad, particularmente Mike, a quien le llevé como obsequio un sombrero charro.

Del aeropuerto me llevaron directamente a la casa de los señores Krause, en donde fui recibido con estas palabras del señor Leonard:

—Bienvenido seas, Rubén.

Confirmé inmediatamente que se me recibía no como un visitante extraño, sino como a un miembro de la familia.

Por supuesto yo ya lo había conocido antes, en "Las Mañanitas", pues al matrimonio le gustaba pasar algunas temporadas de invierno con su hijo Roberto. Al señor Leonard le gustaba aparentar cierta aspereza en sus actitudes y en sus palabras, pero advertí muy pronto que en el fondo era un hombre de gran bondad, como su hijo, y esa bondad se reflejaba en el brillo caluroso de sus ojos.

Mi estancia en Oregon fue muy cordial, y poco después de mi llegada el señor Leonard me dijo:

—Quiero que conozcas la casa donde nació mi hijo Bob en Newport.

Me dio una gran alegría tener esa oportunidad. En verdad yo tenía muchos deseos de conocerla. Era una casa situada a la orilla del mar, sobre una colina, desde la cual se podía contemplar un hermoso paisaje, y estaba rodeada por un jardín en el que había árboles de manzanas, cerezas, peras e higos. Esos árboles habían sido sembrados por el señor Leonard Krause, y en el jardín había una fuente con peces de colores.

Fue en ese atractivo entorno en donde su hijo Roberto aprendió a amar a la naturaleza.

En el interior de la casa había una acogedora chimena. Al verla, comprendí por qué a Roberto Krause le gustaba tanto construir chimeneas en "Las Mañanitas". Además, en el interior de aquella casa se respiraba el grato ambiente en el que él creció y se apreciaba su buen gusto. Y encima de la chimenea una fotografía de aquella perrita boxer llamada "Lindy", que fue la antecesora de nuestra mascota "Pixie".

Finalmente, advertí que había una colección de piedras ágatas. El señor Leonard Krause me expresó que entre él y su hijo Bob la habían ido formando; luego me llevó a la playa y dijo:

—Busca ágatas como éstas.

Lamentablemente, aunque me esforcé en ello, no encontré ninguna.

El señor Leonard estaba muy orgulloso del éxito que había alcanzado su hijo en México.

Tal vez sonreía interiormente al pensar que en un principio trató de oponerse enérgicamente a sus proyectos. Y su satisfacción aumentó aún más, cuando al enterarse de que un empleado de "Las Mañanitas" estaba en Newport, una estación de radio de la vecina localidad de Toledo me entrevistó, porque toda esa comunidad se alegraba mucho de lo que Bob había podido realizar en México. Yo me referí a ese éxito con amplitud, y recuerdo que en la entrevista añadí también estas palabras:

—El clima de Cuernavaca es posiblemente el mejor del mundo. En el jardín de "Las Mañanitas" las flores crecen durante todo el año.

Terminada aquella visita a Oregon, que resultó tan grata, estuve en Chicago, en St. Louis Missouri, Los Ángeles y otras ciudades norteamericanas. Recuerdo que me encontraba en Phoenix, Arizona, cuando se transmitió la terrible noticia del asesinato ocurrido el 22 de noviembre de 1963 del Presidente John F. Kennedy, la cual estremeció a los Estados Unidos y al mundo entero.

A fines de ese año, los señores Leonard y Ethel Krause regresaron a "Las Mañanitas" para pasar el invierno entre nosotros. Como era su costumbre, ocuparon la habitación número cinco que les agradaba mucho.

El señor Leonard acostumbraba salir todas las mañanas al jardín con una canasta y tijeras podadoras para cortar tulipanes, y la señora Margot, su nuera, lo acompañaba. Los dos juntos se encargaban de preparar después los arreglos florales para adornar las mesas y la recepción del hotel.

Todo marchaba bien, en forma muy placentera, pero de pronto la señora Ethel Krause enfermó gravemente, y a pesar de la buena atención médica que se le brindó, falleció aquí en Cuernavaca a principios de 1964. Una profunda tristeza invadió al señor Leonard Krause, a su hijo Roberto y a todo el personal de "Las Mañanitas". La señora Ethel había ejercido una gran influencia en el éxito de su hijo; lo había hecho callada y pacientemente, sin alardes. No sólo le dio la vida biológica sino también una vida espiritual. Ella lo enseñó a vivir siempre con amor. Ella fue su maestra más trascendental, como mi madre lo fue conmigo.

Después de realizar muy fatigosos trámites burocráticos y de superar problemas que no debían existir en estos casos, el cuerpo de la señora Ethel Krause fue trasladado a la ciudad de Portland, en donde están sus restos.

Más tarde, el señor Leonard al sentirse demasiado solo en Portland, decidió vender su casa y pasar la última etapa de su vida al lado de su hijo. Durante siete años siguió ocupando la habitación número cinco de "Las Mañanitas", bajo el cuidado amoroso de su nuera la señora Margot Krause y de una recamarera del hotel, llamada Chabelita, que se convirtió en su ángel guardián.

Esta generosa labor de Chabelita resultó admirable, digna del mayor encomio. Fue un noble ejemplo de paciencia y de bondad, pues lo cuidaba de día y de noche con abnegación, hasta que el señor Leonard falleció en 1971, aquí mismo en Cuernavaca.

En 1959 se terminó la segunda ampliación de "Las Mañanitas" que vemos en esta foto. El señor Leonard L. Krause y su esposa, padres de Roberto Krause posaron frente a la construcción.

Mr. and Mrs. Leonard Krause, Robert Krause's parents in front of the second addition to "Las Mañanitas", completed in 1959.

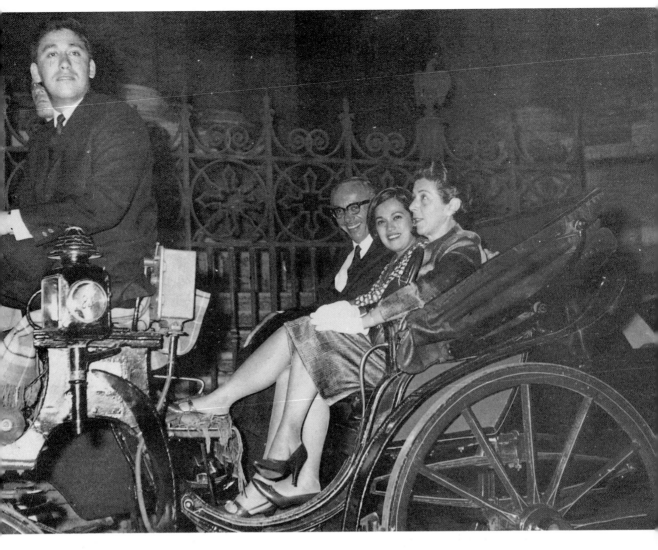

Fotografía tomada en Europa, durante un viaje de aprendizaje. En la foto vemos al autor de este libro; en el asiento están Don Roberto y Margot Krause y la señora Carmen Coleman.

The author, with Robert and Margot Krause and Mrs. Carmen Coleman, during his study trip in Europe.

UN VIAJE DE APRENDIZAJE

La pérdida de sus padres hundió a Robert Krause en una profunda tristeza, como era natural, pero no alteró en nada su bondadoso trato hacia nosotros, ni su entusiasmo para que "Las Mañanitas" siguiera alcanzando el éxito que él deseaba.

Trabajaba con más intensidad que nunca, y dedicaba también el tiempo necesario para meditar y trazar sus planes.

Una mañana, mientras estaba sentado en la mesa 26, como acostumbraba, me llamó y me dijo:

—Siéntate, Rubén. Quiero hablar de algo muy importante contigo. Necesitas ir a estudiar a Europa.

Me quedé asombrado.

—¿A Europa? —le pregunté.

Mi pensamiento jamás había recorrido una distancia tan enorme como ésa. Le dije al señor Krause que mi verdadero deseo en la vida era seguir trabajando en "Las Mañanitas". Aquí estaba mi aspiración.

—Claro que vas a seguir trabajando conmigo. Por supuesto. Pero si te quedas aquí, no vas a recibir la preparación de excelencia que necesitas.

Yo le repliqué:

—Usted sabe muy bien que no puedo irme. Con mi trabajo sostengo a mi familia. No podría abandonar a mi madre y mis hermanos.

—Ya he pensado en eso. Cada quincena entregaré tu sueldo a tu mamá, pues tu trabajo consistirá precisamente en prepararte bien allá en Europa, y aplicar después aquí lo que hayas aprendido.

El señor Krause hablaba con una gran seguridad. Siempre pensaba más allá que el común de las personas; veía con amplitud el horizonte. Lo medía y lo calculaba todo.

Sin reponerme aún de mi asombro, recuerdo que le dije:

—Necesito pensarlo bien, señor Krause. Esto me toma de sorpresa.

Él sonrió paternalmente.

—Piénsalo, Rubén, piénsalo...

Sin duda comprendió que por lo inesperado de su ofrecimiento, yo estaba reaccionando en forma absurda. Y tan era así, que dos días más tarde yo mismo busqué la oportunidad de abordar nuevamente el tema.

—Ya lo pensé bien, señor Krause —le dije—. Es una gran oportunidad la que me ofrece. Sé que usted va a ayudar a mi mamá y a mis hermanos en mi ausencia.

De inmediato me trasladé a la ciudad de México y empecé a visitar las embajadas de Italia, Francia, Suiza, Bélgica y España, para solicitar información sobre las escuelas de alto nivel especializadas en el ramo de hotelería en esos países.

Me decidí inicialmente por Italia, y realizados los trámites de pasaporte y visas regresé a Cuernavaca, en donde mis compañeros de "Las Mañanitas" me organizaron una alegre fiesta de despedida.

Finalmente, con la bendición de mi madre y mis hermanos, y los valiosos consejos que me dio el señor Krause, volé a la ciudad de Nueva York y ahí tomé el barco "Cristophoro Colombo" rumbo a Nápoles. Después de admirar aquella espléndida bahía, considerada una de las más hermosas del mundo, llegué a Perugia, pequeña ciudad medieval, en donde debía realizar el primer objetivo de ese viaje, que consistía en adentrarme en el conocimiento del idioma italiano en la Universidad Italiana para Extranjeros.

Permanecí tres meses en aquel lugar, y ya con una preparación básica del idioma me dirigí a Stresa, a orillas del Lago Magiore, en donde se encontraba la escuela en la que pensaba estudiar.

Sin embargo, después de visitarla tuve algunas dudas; pensé que valía la pena conocer otras escuelas antes de tomar la decisión final, puesto que el señor Krause esperaba de mí la mejor preparación posible.

Fui a Bélgica y visité una escuela muy prestigiada que estaba cerca de Uccle, cuyo nivel académico era bastante bueno. Después a Lausanne, en Suiza, y me convencí de que ahí estaba el mejor plantel de toda Europa en la especialidad de hotelería.

Había que satisfacer varios requisitos para ingresar en ella. El primero consistía en hablar francés, que era el idioma oficial en ese plantel, lo cual me pareció excelente, porque me obligaba a estudiar otra lengua más, por cierto muy importante desde el punto de vista de la alta cocina y del turismo. Valía la pena hacerlo, porque a "Las Mañanitas", además de los clientes mexicanos y norteamericanos que eran los más constantes, también llegaba turismo francés. Por consiguiente, viajé a Tours al sur de París, y durante otros tres meses estudié intensivamente aquella lengua.

Realizado eso, presenté formalmente mi solicitud de ingreso en la escuela de hotelería de Lausanne, y mientras esperaba la fecha de mi admisión, recibí la feliz noticia de que el señor Roberto Krause, acompañado de su esposa y de la señora Carmen Coleman llegarían en unos días más a Europa. Me dio una alegría enorme enterarme de eso, porque durante los largos meses transcurridos, aunque logré hacer algunas buenas amistades, me invadía un sentimiento de soledad que se acentuaba cada vez más. Por eso resultó maravilloso para mí recibir al señor Krause, a su esposa y a la señora Coleman en el aeropuerto de Amsterdam, para que iniciáramos los cuatro juntos un recorrido inolvidable.

Después de pasar la primera noche en el hotel "Hilton" de Amsterdam, se inició la gran aventura de explorar los mejores restaurantes y hoteles de Europa, a fin de aprender de ellos las excelencias de sus servicios.

Por supuesto, la parte culminante tuvo lugar en París, el gran centro gastronómico de Europa. Comimos y cenamos en varios restaurantes de prestigio, entre ellos el "Lasserre", ubicado a una cuadra de la avenida Champs Elysees, en el piso más alto de un pequeño edificio, con el atractivo de un techo móvil que en las noches, cuando el clima lo permite, deja ver el cielo y las estrellas; "La Tour d'Argent", de óptima calidad, que tiene un amplio ventanal mirando hacia el río Sena y a la Catedral Notre Dame, lo cual forma un armonioso conjunto, cuya belleza resalta aún más con la iluminación nocturna de la ciudad. En la planta baja, al salir, compramos algunos recetarios de alta cocina y un folleto con la historia de tan prestigiado restaurante.

En esos lugares nos habían atentido muy bien y quedamos muy satisfechos; pero sin duda, la experiencia más formidable fue la espléndida cena que el señor Krause ordenó en el "Maxim's", seleccionando él personalmente con gran cuidado el menú y el vino más adecuado para cada platillo, incluyendo una botella de champagne "Dom Perignon" al terminar el postre: un soufflé de "Grand Marnier".

Yo tenía la impresión de estar en una dimensión desconocida. ¿Será todo esto una realidad —me pregunté—, o estaré soñando? Durante varios meses yo había llevado en Europa la vida de un estudiante. No había sido fácil. Mis recursos eran muy limitados. Y de pronto me encontraba como un millonario, elegantemente vestido, con la ropa que me compró el señor Krause, disfrutando las delicias del restaurante que tenía el mayor reconocimiento en el mundo.

El servicio fue también una gran lección de excelencia, que yo procuré captar hasta sus menores detalles. Sólo quien ha servido una mesa anteriormente, como era mi caso, puede darse cuenta de cada uno de los aspectos que se deben cuidar. Y en el "Maxim's" todo era perfecto. La suma de esos detalles hace la profunda diferencia en la calidad de cada servicio. A lo que debo añadir que el plato base y los cubiertos eran de plata; las mesas estaban bellamente adornadas con centros de flores naturales, y las servilletas discretamente bordadas con delicadeza.

Lo que me impresionó más fue el gran profesionalismo del "Sommelier"; su manera tan fina de presentar las botellas a la consideración de los comensales, descorcharlas, degustar un sorbo de cada vino en la pequeña taza de plata que traía colgada al cuello, pasarlo después a un botellón de cristal cortado y servirlo con mucho esmero, dejando a un lado el vino asentado en el fondo de la botella.

Jamás olvidaré esa cena, en la que el señor Krause puso una vez más de manifiesto su generosidad haciéndome sentir importante, sobre todo a sus ojos. Por aquella atención y tantas más que tuvo siempre conmigo, yo conservo una gran veneración por él.

Recuerdo una anécdota simpática que nos ocurrió poco después en la ciudad de Lyon. En el restaurante "La Pirámide", en donde comimos, la señora Coleman me pidió que nos lleváramos como recuerdo de ese excelente lugar uno de los ceniceros, que tratamos de ocultar furtivamente; pero en el momento de salir, el cenicero se nos cayó y se rompió ruidosamente en el suelo. Ella y yo nos sentimos muy apenados, mientras el señor Krause se reía de la situación a carcajadas, y el personal del restaurante, en vez de poner caras largas, se apresuró a ofrecernos otro cenicero, agradeciéndonos que hubiéramos estado ahí.

En el sur de Francia nos alojamos en algunos de los pequeños hoteles con magnífico servicio, que años antes había conocido el señor Krause, y que despertaron su deseo de abrir uno semejante en Cuernavaca, de la misma alta calidad, pero con la ventaja de los hermosos jardines de "Las Mañanitas", que son incomparables gracias a nuestro maravilloso clima. La exuberancia de nuestros jardines —comentaba el señor Krause— es lo que nos permite ofrecer a nuestra clientela armonía y belleza.

Llegamos hasta la Costa Azul, y después de disfrutar los buenos servicios de hoteles y restaurantes en Niza y Mónaco, tomamos la carretera que bordea el Mediterráneo para entrar a Italia por Portofino. Esa carretera de muchas curvas ofrece espléndidos panoramas desde lo alto de los acantilados. También la Riviera Italiana cuenta con excelentes lugares para alojarse y para comer a lo largo del litoral del Golfo de Génova.

El viaje por Italia resultó fascinante. Merece una mención especial el famoso hotel "Villa d'Este", situado a orillas del Lago Como. Fue construido con cantera blanca en el estilo arquitectónico del siglo XIX, con jardines muy atractivos. El ambiente y la decoración hacen que el visitante se sienta muy complacido.

De ahí nos fuimos a Venecia, a donde arribamos un sábado al atardecer. No puedo olvidar aquella primera noche el canto de los gondoleros a lo largo del Gran Canal, con sus embarcaciones bellamente adornadas e iluminadas; y más tarde, la música y la romántica atmósfera de la Plaza de San Marcos. Me sentí transportado a un mundo mágico, y desde lo más profundo de mi corazón le di gracias a Dios por las experiencias maravillosas que me concedía en compañía de aquellas excelentes personas que me brindaban calor y afecto.

Mientras tomábamos una copa en aquella enorme Plaza, nos emocionó mucho oír que la orquesta interpretaba música mexicana, principalmente melodías de Agustín Lara y la mundialmente célebre canción de "La Paloma".

Todo contribuía a la felicidad de nuestro grupo. Cuando regresábamos al hotel "Danielli", situado junto al Gran Canal, frente a la iglesia de San Giorgio, el señor Krause me dirigió estas palabras:

—Como tú bien sabes, Rubén, estoy convencido de que todos los seres humanos son igualmente importantes, pero también diferentes. Tú y yo valemos por lo que somos, lo que hacemos y lo que vivimos.

Para no extenderme más en los pormenores de aquel extraordinario viaje del que aprendí tanto, sólo añadiré que después de haber contemplado con admiración las soberbias obras de arte que tiene Florencia, y que la hacen única en el mundo, el recorrido terminó en Roma.

Nos alojamos en el "Hotel Excélsior", de gran abolengo y sin duda el mejor de Roma en aquel tiempo. Y al día siguiente me enteré con sorpresa de que el señor Krause, que siempre tenía una visión adelantada de las cosas, había solicitado desde México, antes de salir, una audiencia con el Sumo Pontífice Pablo VI, la cual nos fue concedida, y nos causó una de las mayores emociones que pueda uno imaginar. Ninguno de nosotros cuatro pudo evitar el llanto en el momento de recibir su bendición.

Es imposible expresar con las palabras adecuadas la vibrante emoción que produce, en quienes profesamos la fe católica, la presencia del representante de Cristo en la Tierra. Así lo demuestra el fervor con que el pueblo mexicano ha recibido en dos ocasiones a Su Santidad Juan Pablo II. Pero es más impresionante aún verlo y hablar con él en una audiencia privada en el Vaticano, a muy corta distancia y recibir directamente su bendición.

Ese era el caso de la señora Margot Krause, la señora Carmen Coleman y yo. Pero claramente pude advertir que también el señor Roberto Krause, no obstante profesar la religión judía que heredó de su madre, se emocionó profundamente también, lo cual puso de manifiesto una vez más su noble sensibilidad, puesto que él mismo había solicitado aquella audiencia.

Yo aproveché la maravillosa oportunidad para que el Papa Pablo VI bendijera unas medallas que compré en Roma para mi madre y para mis hermanos.

Por coincidencia, esa misma mañana el Sumo Pontífice recibió a un grupo de peregrinos mexicanos del que formaba parte la destacada actriz María Elena Marquez. La conocíamos personalmente porque ella formaba parte de la clientela de "Las Mañanitas".

También encontramos en el Vaticano al Obispo de Cuernavaca en aquel tiempo, Monseñor Sergio Méndez Arceo. Se encontraba ahí con motivo del Concilio Ecuménico que se iba a celebrar en esos días. Tuvimos ocasión de saludarlo, conversamos con él y el señor Krause tuvo la atención de invitarlo a cenar en la "Hostária dell' Orso". Él aceptó, y aquella noche nos llamó la atención que a pesar de su corpulencia, el señor Obispo llegara a la cita en un pequeño automóvil Fiat 500.

Aquel restaurante era de primera categoría, un lugar elegante, fino, afamado no sólo por la comida típica italiana, sino también por su sofisticada cocina internacional. Podemos decir que era el equivalente romano del "Maxim's" de París. Por eso, para comenzar, todos pedimos una pasta italiana con frutas ralladas, crema y vino blanco, que fue preparada ante nosotros a un lado de la mesa, y luego cada quien ordenó un platillo fuerte distinto. La carne de ternera que yo pedí estaba tan suave que se podía cortar con el tenedor.

La plática del señor Obispo era muy interesante, pues se refería a la importancia del Concilio Ecuménico, que logró reunir a las diversas corrientes ideológicas de la Iglesia en aquel tiempo, y tuve que hacer un gran esfuerzo para dividir mi atención entre sus palabras y observar todos los detalles del servicio en la Hostería. En cuanto al propio Monseñor Méndez Arceo, su animada conversación no fue obstáculo para que él disfrutara ampliamente la cena, al igual que todos nosotros.

Al advertir nuestro interés en aquel tema, nos invitó para que asistiéramos el siguiente domingo a la Misa Solemne que se oficiaría antes de iniciarse el Concilio.

Por supuesto, acudimos también a otros buenos restaurantes de la ciudad de Roma, de acuerdo con la lista que el señor Krause había preparado de antemano; entre ellos el "Da Meo Patacca", en el Tras-tévere, el "Passetto" en donde comí caviar por primera vez, y el "Alfredo", en donde el propio Alfredo le trajo a la señora Krause un tenedor y una cuchara de oro para que comiera su fettuccini. Y en todas esas ocasiones tomamos los buenos vinos de la región.

Como despedida, me brindaron la oportunidad de que los llevara al restaurante "La Biblioteca", que yo había conocido antes, en donde se comía muy bien. La ocasión fue muy especial: era la última noche que los señores Krause y la señora Coleman pasarían en Europa, por haber terminado ya su itinerario. Por eso la velada estuvo cargada de una emoción que en la mejor forma posible tratamos de sobrellevar, tomando más vino que de costumbre.

Al día siguiente los acompañé al aeropuerto internacional, en donde los despedí entre lágrimas y abrazos, no sin antes reiterarles mi profundo agradecimiento por tan espléndido viaje y la oportunidad de conocer los mejores hoteles y restaurantes de Europa.

Ese mismo día, con gran nostalgia, compré un boleto de tren y regresé a Francia, para reanudar mi vida modesta de estudiante.

Durante el trayecto tuve mucho tiempo para reflexionar sobre las inolvidables semanas en las que había convivido con los señores Krause y la señora Coleman. Medité particularmente en el cariño que en todo momento me demostraron. Su actitud sólo podía compararse con la de una familia que goza al llevar de viaje a uno de sus miembros.

Comprendí además que no únicamente había aprendido muchas cosas nuevas referentes a hotelería y gastronomía; las largas conver-saciones que tuve con ellos me enseñaron principios y actitudes muy importantes frente a la vida, que yo desconocía. Esas semanas fueron mucho más formativas de lo que podía haber imaginado. De hecho, yo me había convertido ya en un hombre distinto.

Dos meses más tarde, ya avanzados mis conocimientos de francés y satisfechos todos los requisitos, ingresé finalmente a la escuela de hotelería de Lausanne, en la que pude comprobar su nivel académico tan alto.

Al principio me resultó difícil la convivencia con los demás estudiantes. Casi todos ellos eran hijos de dueños o directores de hoteles y restaurantes europeos; jóvenes adinerados y acostumbrados al nivel de vida de la clase media alta. En pocas palabras estaban habituados a que les sirvieran, y no a servir; sentarse ante una mesa bien puesta y paladear los mejores vinos siguiendo las normas de etiqueta establecidas. Pero afortunadamente, las semanas que pasé en compañía de los señores Krause y la señora Coleman me resultaron muy provechosas en ese aspecto, y no tardé mucho en hacer algunas buenas amistades. Confirmé entonces que yo tenía cierta facilidad natural para ganar amigos, porque no sentía la necesidad de aparentar algún linaje. Sinceramente, creo que mi sencillez en el trato favorecía mis relaciones y la comunicación con los demás. Al mismo tiempo, tal vez por mi extracción y mi compromiso ante el señor Krause de aprender mucho y prepararme bien, advertí que yo era más observador que la mayoría de mis compañeros.

Los meses que estudié en la magnífica escuela de hotelería en Lausanne resultaron muy provechosos para el resto de mi vida profesional. Sin embargo, tuve que interrumpir esos estudios antes de concluirlos, porque recibí una llamada telefónica del señor Krause, en la que inesperadamente me sugería la conveniencia de que regresara a Cuernavaca. El motivo era que el señor Salvador Castañeda, después de varios años de excelente colaboración en "Las Mañanitas", había renunciado al cargo de gerente para abrir su propio hotel.

El Sr. Krause me daba la opción de terminar mis estudios en Lausanne o de regresar inmediatamente a Cuernavaca, para asumir la responsabilidad que el señor Castañeda había dejado vacante.

No lo pensé mucho. De pronto se me presentaba la oportunidad de realizar mi mayor sueño. Le comuniqué al señor Krause que aceptaba gustosamente regresar a Cuernavaca; hice mis maletas y emprendí el vuelo a México colmado de alegría, no sólo por la nueva perspectiva que me aguardaba, sino por el enorme deseo de ver nuevamente a mi madre y mis hermanos, a quienes extrañé tanto mientras permanecía en Europa.

Mi llegada al aeropuerto internacional de la ciudad de México me brindó otra de las grandes sorpresas de mi vida, porque ahí se encontraba el señor Krause, sonriéndome en forma afectuosa y llena de bondad, junto con todos mis compañeros de trabajo de "Las Mañanitas". Esa noche, el servicio del restaurante se había cerrado un poco antes de la hora de costumbre para que todo el personal se trasladara en varios automóviles a la ciudad de México para recibirme; y además, mi compañero Mario Velázquez había contratado un grupo de mariachis que dieron el toque final de cordialidad a esa bienvenida.

Entre abrazos, lágrimas y risas, me sentí el hombre más afortunado del mundo. Del aeropuerto nos trasladamos a Cuernavaca, y seguimos festejando mi regreso en "Las Mañanitas", hasta que llegó el momento de levantar las mesas y el servicio, lo cual se había dejado pendiente.

Era ya cerca de la madrugada cuando el señor Krause me dijo:

—Ya es hora de que te vayas a descansar, Rubén. Debes sentirte muy fatigado por el largo viaje de regreso, y para tí, por la diferencia de horarios entre Europa y México, ya casi es el mediodía. No vengas a trabajar el día de hoy. Disfrútalo con tu familia. Pero recuerda que mañana, muy temprano, tienes que estar aquí para iniciar tu nueva labor.

Mientras mis compañeros levantaban las mesas y el señor Krause se retiraba a su casa, permanecí todavía un poco de tiempo en el hermoso jardín de "Las Mañanitas". Veía todo a mi alrededor como si se tratara de un sueño que se convertía en realidad. Ahí estaba otra vez mi mundo, mi pasado, mi presente y mi porvenir, en ese lugar que yo amaba tanto.

Parado en medio del jardín, alcé los ojos y vi un hermoso cielo cuajado de estrellas. Por algún motivo, en ese momento recordé a mi abuelo, que me brindó tanto amor y nobles enseñanzas. En cierto modo, regresé a los años de mi infancia, y pensé que mi abuelo me observaba desde algún lugar. Le agradecí profundamente a Dios todo lo que me había venido concediendo, y terminada esa oración volví a mi casa para disfrutar el calor incomparable de mis familiares.

EL ESPÍRITU DE COMPAÑERISMO

Después de haber descansado un día completo al regresar de Europa que consagré a conversar alegremente con mi madre y mis hermanos, me levanté muy temprano para iniciar mi nueva etapa de trabajo en "Las Mañanitas".

Mi estado de ánimo no podía ser más favorable, pues el día anterior pude confirmar que durante mi larga ausencia, el señor Krause había cumplido generosamente su promesa de que a mi familia no le faltara nada. Así me lo habían manifestado ya en sus cartas, pero resultó muy agradable escucharlo personalmente.

Me presenté en "Las Mañanitas" vestido como correspondía a mi nuevo cargo, lo cual incluía una elegante corbata que yo usaba en el servicio por primera vez; un poco después llegó el señor Krause sonriendo muy satisfecho al verme con ese atuendo, y durante todo el día me presentó con la clientela diciendo estas palabras:

—El señor Rubén Cerda es el nuevo gerente de "Las Mañanitas". Él se encargará de atenderlos como ustedes lo merecen.

Lo decía con satisfacción, como un padre que presenta a su hijo, y eso me resultaba muy alentador. Pero al mismo tiempo, sentía sobre mis hombros el peso de la gran responsabilidad que había contraído, por lo cual decidí redoblar mi entusiasmo y mis esfuerzos.

A lo largo de aquel día y de los siguientes, advertí que el personal del hotel y del restaurante ya no me trataban en la misma forma amistosa de antes. Mis compañeros de trabajo se dirigían a mí con mucho respeto, hablándome de "usted" y guardando cierta distancia como lo hacían siempre con el señor Salvador Castañeda. Eso me desagradó mucho. Tal vez mi nueva posición como gerente lo justificaba, y me pregunté si convenía dejar las cosas en esa forma. Pero inmediatamente llegué a la conclusión de que no era ese mi deseo; que por ningún motivo quería perder los vínculos tan afectuosos de compañerismo que me unían con ellos.

Después de consultarlo con el señor Krause, y de obtener su aprobación, los llamé a todos en un intervalo de descanso, para preguntarles por qué me trataban en esa forma tan respetuosa, tan solemne. Al escuchar mi pregunta se miraron unos a otros sin que nadie se atreviera a contestar.

—Quiero que me aclaren una cosa —les dije—: ¿Acaso no soy el mismo Rubén de antes? ¿La ausencia durante mi viaje alteró en algo nuestra amistad?

Como seguían callados, me dirigí a uno de ellos, al que tenía más cerca, para preguntarle:

—A ver tú, Panchito, ¿Sigues siendo mi amigo?

A Panchito se le iluminó la cara con una sonrisa y me contestó:

—Claro que sí, Rubén.

Esa respuesta fue suficiente para romper el hielo. El buen Panchito, como llamábamos a Francisco Pérez Díaz, había empezado a trabajar en "Las Mañanitas" en 1957, apenas un año después que yo, y éramos casi de la misma edad, pues en aquel tiempo él tenía catorce años.

Era un muchacho humilde que había venido de Jojutla, y que en aquel tiempo no sabía hacer nada. Recuerdo que al principio, algunas veces se quedaba dormido en el bar por el cansancio cuando el servicio se prolongaba hasta altas horas de la noche. En Jojutla, como en casi todos los pueblos de nuestro país, la costumbre era madrugar mucho y retirarse a dormir temprano. El señor Krause tuvo que enseñarle todo el trabajo. Panchito se formó en "Las Mañanitas", hasta convertirse en un excelente mesero. Y ahora en aquella reunión que tuve con todo el personal, se mostraba muy contento, al ver que independientemente de los cargos que ocupábamos, yo seguía siendo su compañero y amigo.

Lo mismo sucedió con los demás. Ahí estaban, por ejemplo, el gran Chef Manuel Quinto, una verdadera institución en "Las Mañanitas"; Marcelino Araujo, su mejor colaborador en la cocina; la siempre abnegada Chabelita; Mario Velázquez que empezó a trabajar aquí desde los trece años de edad como ayudante de garrotero, y ahora ocupa una posición importante; tiene un hijo suyo trabajando con nosotros.

Lo que quiero subrayar es que aquella reunión dio un magnífico resultado. Jamás me arrepentí de haber roto inmediatamente la barrera que mi nueva posición estaba creando. Gracias a ello, mis antiguos compañeros han formado un verdadero equipo conmigo. Al cabo de muchos años, me siguen brindando su apoyo afectuoso y su lealtad. Conocen mi humilde origen. Saben que yo empecé a trabajar aquí desde el primer peldaño. Se sienten orgullosos de que yo haya podido ascender, y eso les sirve de estímulo también a ellos.

El espíritu de compañerismo se ha transmitido también a la mayoría de los empleados de posterior ingreso, y ese ha sido otro de los factores en el éxito de "Las Mañanitas".

LOS JARDINES DE "LAS MAÑANITAS"

Durante los años siguientes, el señor Krause se propuso seguir ampliando "Las Mañanitas", y para ello compró un terreno de cinco mil metros cuadrados, que colindaba con nuestro hotel hacia el poniente, con la idea de crear varias suites de lujo, ampliar las áreas de servicio, particularmente la cocina y la bodega, construir una nueva alberca que sustituyera a la anterior y diseñar un jardín más hermoso y más amplio todavía que el que poseíamos.

Ya he dicho que el señor Krause amaba mucho los árboles, las plantas y las flores, y a ese respecto su fervor llegó al extremo de enviarme hasta Japón para que yo pudiera tomar ideas de los magníficos jardineros de ese país, que pudieran ser aplicadas en Cuernavaca.

Para entonces, había tenido ya la dicha de contraer matrimonio con una mujer excepcional, llena de belleza y de virtudes, y fue así como mi esposa Linda y yo realizamos juntos esa visita al lejano país del Sol Naciente.

A nuestro regreso, fueron tan elogiosos nuestros comentarios sobre los hermosos jardines japoneses, que el señor Krause confirmó lo que él mismo había observado anteriormente cuando viajó con su esposa, la señora Margot, y no sólo visitó los mejores jardines abiertos al público en Tokio, Kioto y otras ciudades, sino que llevó su audacia y su habilidad en materia de relaciones públicas, al extremo de que le fue permitido hacer una visita privada a los jardines del Palacio Imperial.

Con estas experiencias recogidas, empezó lo que había de convertirse en un jardín realmente espléndido, con la ayuda de nuestro amigo Guillermo Tejeda, dueño del vivero Xochicalco, aquí en Cuernavaca.

Ese nuevo jardín fue una conjugación de plantas y de estilos. Sabemos que los japoneses no tienen una vegetación tan exuberante como la nuestra, por eso utilizan el agua y las piedras como elementos de ornato complementario. El señor Krause decidió que al fondo del jardín se construyera un lago habitado por diversas aves. Él lo visualizaba todo con su imaginación. Recuerdo con cuánta exactitud me señaló la forma y la ubicación de ese lago.

En la actualidad, nuestro hotel cuenta con dos amplias áreas verdes que constituyen su mayor atractivo. La primera de ellas, que puede admirarse desde el comedor instalado en la terraza que existía desde que se inauguró el hotel en noviembre de 1955. Desde entonces formaba parte de la casa, pero después se le hicieron adaptaciones y cambios importantes.

El éxito del restaurante fue invadiendo parcialmente ese jardín, pues se construyó una segunda terraza con mesas al aire libre que gozan de gran predilección entre nuestros clientes, ya sea para comer o para cenar, y en el lado opuesto unas cabañas para el servicio del bar. Esas cabañas constituyen un atractivo original de "Las Mañanitas". A nuestra clientela le agrada mucho sentarse a disfrutar una copa ahí en ese lugar acogedor y fresco, en el cual seleccionan los platillos que van a comer o a cenar leyendo el pizarrón con el menú del día, y pueden relajarse y conversar mientras se les preparan sus alimentos y se les invita a ocupar la mesa que les corresponda.

En la pared del fondo de esas cabañas se encuentran obras pictóricas valiosas, originales, que forman parte de la colección artística de "Las Mañanitas".

De noche, las mesas se iluminan mediante quinqués con velas y los árboles y las plantas con luz indirecta de reflectores. También las pinturas y las esculturas reciben una iluminación especial para que puedan ser debidamente apreciadas. Esto crea en su conjunto una atmósfera romántica muy agradable.

El segundo jardín, el más amplio aprovechando la superficie de cinco mil metros cuadrados, que se adquirió después, incluye la nueva alberca que vino a sustituir a la anterior, la cual era de menores dimensiones, en la parte del fondo se creó el hermoso lago artificial, en el que se pueden admirar los gansos, los patos y los cisnes; además de los flamingos, las esbeltas grullas y los pavos reales que se pasean con gallardía en los dos jardines. Entre la alberca y el lago podemos admirar un espléndido grupo escultórico que es una de las obras maestras de Zúñiga y que ha sido admirada y elogiada calurosamente por expertos y por visitantes de México y del extranjero.

Todo el personal que trabaja en "Las Mañanitas" se siente muy orgulloso de esos espacios verdes, pero particularmente el jardinero Fulgencio, quien empezó a trabajar aquí en febrero de 1971, y durante los veinte años transcurridos se ha consagrado en alma y cuerpo a cultivarlos y cuidarlos, al frente de un equipo de seis personas. Ese grupo de trabajo tiene a su cargo conservar la belleza mayor de nuestro hotel.

El jardinero en jefe, Fulgencio, afirma que su obligación consiste en estar bien con el patrón y con las plantas. El señor Krause se encargó de transmitirle su profundo amor por la Naturaleza.

Durante todos los días del año, en "Las Mañanitas", tenemos flores en abundancia: azaleas de varios matices, bugambilias, enredaderas de jade, llamaradas, banderas tricolores, aves del paraíso y otras más. Esta riqueza cromática se aprecia igualmente en los penachos de los tabachines y las jacarandas.

Pero quizá la parte más ardua para Fulgencio y sus colaboradores consista en podar el pasto para mantenerlo siempre como una suave alfombra verde, y en cuidar y alimentar a todas las aves de "Las Mañanitas": las guacamayas, las cacatúas, los pavos reales, los flamingos, y las grullas, que son sumamente delicadas y requieren atenciones muy especiales.

Fulgencio recuerda que durante los diez años en que tuvo la satisfacción de colaborar con el señor Krause, sólo una vez lo vio muy enojado. Eso tuvo lugar cuando una de las grullas murió, a pesar de la atención que le brindó el veterinario. Al ver a aquel hermoso animal muerto en las manos de Fulgencio, lo regañó severamente. Sin embargo, al día siguiente, con su bondad característica, el señor Krause se disculpó con el jardinero, quien no estaba ofendido en realidad; sabía perfectamente que el disgusto del día anterior se debió al enorme cariño que el señor Krause sentía por los animales.

Por fortuna, en el gratísimo ambiente de nuestros jardines, las aves se reproducen con alegría, y siempre recibimos con entusiasmo a esas nuevas generaciones.

Para ampliar los jardines de "Las Mañanitas" se adquirió un terreno contiguo de cinco mil metros. La foto muestra los trabajos iniciales de acondicionamiento.

Laying the groundwork for the new garden on the newly purchased land next door.

Un aspecto de la acogedora sala de "Las Mañanitas", en donde han disfrutado tantos clientes, a los cuales en la actualidad consideramos nuestros grandes amigos.

A view of the living room at "Las Mañanitas" where so many of our clients and friends have enjoyed drinks and conversation.

Durante todo el año las flores lucen con alegres colores en los jardines de "Las Mañanitas".

Flowers bloom all year round in our gardens. ➤

EL PROYECTO
"LAS MAÑANITAS-IXTAPA"

Todo marchaba admirablemente en "Las Mañanitas". El señor Krause parecía lleno de vitalidad y había empezado a acariciar nuevos propósitos de gran alcance.

Su creatividad se había orientado hacía un proyecto muy ambicioso al que llamó "Las Mañanitas-Ixtapa". El proyecto consistía en establecer frente a las playas de Ixtapa, un condominio enorme, bajo el sistema de tiempo compartido, con una serie de servicios y atractivos complementarios.

El señor Krause me propuso que nos asociáramos en ese gran proyecto al cincuenta por ciento, lo cual me impactó muchísimo y me hizo sentir una nueva responsabilidad que me parecía inconmensurable.

Para determinar la ubicación óptima, recorrimos primero otros puertos y lugares de veraneo en México; entre ellos Acapulco, pero nos pareció que ahí existían ya demasiados lugares abiertos al turismo. La idea era que nosotros ofreciéramos algo distinto, original.

Había buenas posibilidades en Puerto Vallarta, Manzanillo, Cancún y Cozumel; pero cuando visitamos Ixtapa, tanto el señor Krause como su esposa, la señora Margot, mi esposa Linda y yo nos enamoramos de aquellas playas en las que nadamos alegremente, vimos a los delfines jugueteando en el mar, a las gaviotas en su vuelo elegante y libre, y detrás de nosotros el profundo verdor de las montañas en contraste con la arena y el mar.

Mientras contemplábamos una espléndida puesta de sol, llegamos a la conclusión de que ese era el sitio ideal que buscábamos. El señor Krause comentó que ni Hawai, Cote d'azur, Málaga, Mallorca, Bora-Bora o Penange, por hermosos que fueran, podían ofrecer las maravillas de esas playas mexicanas.

Ixtapa, en la carcanía del pintoresco puerto pesquero de Zihuatanejo, a 35 minutos por avión de la ciudad de México o viajando por carretera, no tenía condominios en aquel tiempo, lo cual nos permitiría ser los primeros en construir un edificio de 15 pisos —la altura máxima autorizada por Fonatur—, que permitiera gozar el panorama de la bahía y de las montañas, algunas villas con el encanto adicional de un bello lago privado, un restaurante de alta calidad, una alberca a la orilla del mar, un lobby-bar, dos gimnasios con vapor y sauna cada uno, cuatro canchas de tenis profesionales, salas de juegos, billar, ping-pong, fuente de sodas y todas las actividades correspondientes, incluso una tienda de autoservicio.

El ambicioso plan se puso en marcha. Adquirimos dos terrenos que en total sumaban 4.5 hectáreas, con un frente a la playa de 190 metros; el señor Krause y el arquitecto Héctor Román pasaron ocho meses desarrollando y puliendo aquel proyecto, y una acreditada compañía constructora prometió entregar "Las Mañanitas-Ixtapa" para el otoño de 1981. Varias personas, clientes y amigos nuestros, se inscribieron en la lista de compradores, atraídos por tan fascinante idea.

Era un sueño dorado y caro, pero el señor Krause consiguió un fuerte financiamiento bancario en Suiza, y formalmente se inició la obra.

Sin embargo, el destino es el que dice siempre la última palabra. Empezamos a notar que la salud del señor Krause se deterioraba rápidamente. Siempre había sido un hombre incansable, pero ahora trabajaba más allá de lo que se puede exigir a un ser humano. Ya casi no dormía. Estaba tan absorto en el proyecto de Ixtapa que se desvelaba hasta altas horas de la noche revisando planos, anotando nuevos conceptos, e incluso cuando se había retirado ya a dormir, de pronto se levantaba de la cama para apuntar otra idea más que se le había ocurrido.

Para mantener ese ritmo tan intenso, tomaba varias tazas de café y fumaba mucho. Encendía un cigarrillo tras otro sin detenerse a pensar en su salud. Por primera vez desde que lo conocimos, su esposa y yo veíamos en aquel hombre enérgico señales evidentes de cansancio. Su aspecto era tan preocupante, que además de la opinión de algunos médicos de Cuernavaca, lo llevamos a la ciudad de México para que lo examinaran a fondo.

La terrible verdad se puso de manifiesto. El señor Krause tenía cáncer, y entonces decidió ir a los Estados Unidos a la famosa Institución médica "Cedar Sinai Hospital" de Los Ángeles para someterse a nuevos exámenes y una terapia intensiva a base de radiaciones, acompañado de su esposa Margot, y más tarde mi esposa Linda y yo, que no quisimos dejarlo solo.

FINAL DE UNA FRUCTÍFERA VIDA

El Dr. Spencer Koerner le dijo al señor Robert Krause en "Cedar Sinai Hospital" de Los Ángeles:

—Le queda poco tiempo de vida...

A lo que el señor Krause contestó:

—Quiero pasar los últimos días en mi casa de México, con los míos, allí en Cuernavaca. Deseo suspender el tratamiento de quimioterapia y radiación.

Después de lo cual, acompañado de su esposa, la señora Margot Krause, regresó a México y posteriormente a Cuernavaca.

Aquellos últimos días de su vida fueron algo que no podremos olvidar. La paciencia con la que nos llamó a cada uno de nosotros para darnos sus consejos y sus finales recomendaciones fue la última muestra de su gran sentido de responsabilidad, de humanismo y de buena voluntad. Sentimos que realmente nos había amado todo el tiempo.

Lo acompañé todos esos días, fui testigo de su trato en los últimos tiempos con los colaboradores de "Las Mañanitas". Me dijo:

—Te dejo un equipo extraordinario. Tú a la cabeza no vas a tener problemas. Cuida mucho a Manuel Quinto; de Manuelita, trata de conseguir para ella una casa; cuida bien de Chabelita porque ella le dedicó mucho tiempo a mi papá y le estoy muy agradecido.

Recuerdo que también me recomendó en forma especial lo siguiente:

—Cuida siempre el aspecto de justicia en "Las Mañanitas", que todo el personal reciba buen trato. Tú sigue queriendo mucho a toda esta gente...

Los dolores que sufría eran fuertes, los sedantes le permitían a ratos convivir un poco, pero fijándose siempre en su reloj, a fin de saber a qué horas podía tomar un calmante.

Me dijo también con una mirada triste, pero llena de esa gran delicadeza que tienen las personas humanistas:

—Cuida sobre todo a mi esposa y a Rebeca mi hija. Ellas requerirán protección y te van a necesitar mucho.

Le pregunté: ¿Qué vamos a hacer con el proyecto de "Las Mañanitas-Ixtapa"?

Él me contestó:

—Desde que se agravó mi enfermedad ya no he querido saber nada de ese proyecto. Tú tienes el 50% y yo el otro 50%. Sé que vas a defender los intereses tuyos, pero también los de Margot y Rebeca. Sabes mejor que yo qué avance registra eso. Sólo te puedo recomendar que te cuides de algunas personas que pueden desear únicamente su propio beneficio... Tenemos una deuda grande por el crédito que nos dio en dólares un banco suizo. Pienso que ese problema tendrás que manejarlo con mucho cuidado.

Me dio algunos nombres y luego me dijo, sintiendo una preocupación mayor por "Las Mañanitas" que por el proyecto de Ixtapa:

–Si alguien viene a pedir trabajo y tú sabes que puede ganar mil, pero tú lo puedes conseguir por ochocientos, dale los mil pesos que merece, así tendrás además de un colaborador, a un amigo más.

Le comenté entonces:

–¿Sabe qué señor Krause? voy a intentar manejar "Las Mañanitas" como usted lo hizo, con su forma de ser, con su filosofía.

Pero él me contestó con una sonrisa un poco sarcástica:

–Ni lo intentes... Tú tendrás que manejar "Las Mañanitas" como Rubén Cerda, no como Robert Krause, y quiero que sepas que muchas veces cuando discutimos sobre asuntos de trabajo, y cómo manejar el negocio, tú tenías razón, pero yo no podía dártela porque se te iba a subir a la cabeza. La autoridad debe asegurarse en ocasiones para no dar lugar a faltas de disciplina y desorden. En muchos momentos te vas a sentir muy solo y muy triste —me dijo—, pero quiero que sepas que nunca estarás solo, recuérdame y te voy a estar ayudando en lo que yo pueda; yo estaré contigo y algún día volveremos a estar juntos otra vez.

En la fiesta del 31 de diciembre de 1980, por primera vez en la historia de "Las Mañanitas", aquel hombre que había sido la cabeza, el que siempre había estado al frente del trabajo, se sentó para contemplar su obra y para ver a su equipo trabajar y ser parte de los clientes. Se sentó en la Cabaña 36, dando la espalda al muro y teniendo al frente todas sus Mañanitas. Vestía una camisa verde de lana con un saco arriba y luego un gabán blanco. Tenía mucho frío, sin duda más de lo normal por la quimioterapia. Usó una gorra que siempre llevó durante los últimos meses, ya que la quimioterapia había causado la caída de su pelo.

Recuerdo su mirada, llena de amor por su obra, por su equipo humano, por toda la organización de la cual tenía que despedirse. Sus ojos nos hacían sentir un "...ya me voy...", como si estuviera levantando la mano y dándonos su bendición en ese lugar de trabajo, de disciplina y de orden, de excelencia en el servicio que con tanto amor había creado con y en nosotros.

Lo rodeaban esa noche su esposa, su hija y Linda mi esposa, además de algunas otras amistades.

El cáncer le había llegado al hígado, los últimos días le era muy difícil comer, no podía pasar muy bien los alimentos. Él hacía esfuerzos para no hacernos sufrir, a su esposa, a su hija, a mí, y a todos nos decía con su actitud: "Esto es la vida, la vida es así... y hay que hacerle frente siempre con ánimo. Yo me voy, voy a estar con Dios y lo que ustedes necesitan hacer es pedirle que me lleve con Él, ya que ustedes no quieren que sufra".

El martes 10 de febrero de 1981 estuvimos con él, pero a eso de las diez de la noche me fui a mi casa junto con mi esposa y mis hijas. Sin embargo, él se despertó y le pidió a su esposa que me llamara para que fuera con él.

De inmediato me trasladé a su casa y me dijo:

–Rubén no te vayas... tú no sabes cuánto tiempo me queda y si acaso necesito decirte algo, quiero que estés aquí, conmigo. Permanecí junto a él durante tres noches seguidas.

Por ratos nos tenía de la mano a su esposa y a mí. Nos decía entonces:

–Pídanle a Dios que ya me lleve...

Pusimos unos cojines para quedarme en el piso, de un lado de su cama. Del otro lado estaba su esposa. La noche del jueves nos dijo:

–Ya estoy muy cansado... Volteando a ver a su esposa le decía: Niña, pídele a Dios que ya me lleve. Tú no quieres que sufra, cuida mucho a Rebeca... únanse mucho...".

Estaba consumido, pesaba sólo unos treinta y cinco o cuarenta kilos. Me dolía ver cómo a un hombre tan fuerte, que había llegado a pesar más de ochenta kilos, lo había acabado la enfermedad. Sus ojos y su cuerpo estaban amarillos, tal vez por la destrucción de su hígado.

Sin embargo, su mirada de amor y de resignación era para todos nosotros un mensaje de vida.

Su esposa se acercó a él y platicándole al oído, ví como se fue apagando, como una velita... No sabíamos si dolernos o dar gracias porque se había ido... un sentimiento encontrado nos invadió. Por una parte, la tristeza de su ya palpable ausencia; y, por otra, la alegría de que sus sufrimientos habían terminado.

Todos estos momentos fueron compartidos también por el Dr. Carlos García, su gran amigo de muchos años.

Llamé entonces por teléfono a los principales colaboradores: Víctor Sánchez, Mario Velázquez, Manuel Quinto y Heliodoro Martínez para que éstos a su vez le avisaran al equipo humano que tanto nos ayudó en la temporada tan pesada, en la que por la enfermedad del señor Krause tuve que estar ausente.

La señora Krause les avisó también telefónicamente a sus familiares y amigos, a fin de que pudieran acompañarnos a los servicios que se darían en el jardín de "Las Mañanitas", ese mismo día, a las 10 a.m. antes del entierro.

Es imposible para mí olvidar aquel 13 de febrero de 1981. El señor Roberto Krause había muerto en la madrugada, y una horas después le rendíamos un último tributo en aquel jardín que él había amado tanto.

Todo el personal de "Las Mañanitas", abrumado por la noticia de su fallecimiento, se congregó en ese jardín y escuchó con profundo fervor la misa que oficiaron el padre Francisco de la iglesia de Amatitlán y el reverendo William Wasson, a quien el señor Krause había ayudado tanto en su labor humanitaria.

El padre Wasson consagró su vida a proteger niños huérfanos o desamparados. Todos en Cuernavaca conocían la granja llamada "Nuestros Pequeños Hermanos", pero muy pocos sabían que el señor Krause enviaba ayuda para estos niños y que entre el padre Wasson y él existían lazos de afecto muy profundos de tiempo atrás. Veinte años antes, en 1961, fue precisamente el padre Wasson quien ofició la boda religiosa del señor Krause con su novia, la señorita Margot Urrea.

Por eso, durante el funeral, el reverendo Wasson pidió la ayuda del cielo para el alma del señor Krause, sus familiares y el personal de "Las Mañanitas".

Todos estábamos profundamente afligidos. En primer lugar la señora Margot, la dulce y fiel compañera del señor Krause, y su hija Rebeca. Junto a ellas mi amadísima esposa Linda y mis dos hijas. Y en torno nuestro, desde nuestros colaboradores más humildes hasta los de mayor jerarquía.

La vieja guardia rezaba con mucha devoción, llena de nostalgia y de recuerdos. El señor Krause no sólo los llamaba sus viejos amigos, sino "sus cuates", y acostumbraba decir que todos ellos formaban parte de su familia.

La abnegada recamarera Chabelita recordaba con tristeza la última vez que vio en ese jardín al señor Krause, despidiéndose de su grulla predilecta. En voz alta le dijo:

—Yo me voy a ir, pero tú te vas a quedar en "Las Mañanitas" y vas a portarte bien.

Después de aquella despedida, que en realidad abarcaba a todas las aves, los árboles y las plantas, el señor Krause tuvo que permanecer encerrado en casa, en una lenta agonía, y ya para morir le dijo a Chabelita:

—Tú vas a cuidar a mi Niña; te vas a quedar con ella.

"Su Niña", era por supuesto, su esposa Margot.

Mario Velázquez, por su parte, recordaba los días felices en los que el señor Krause lo invitaba a nadar en la alberca de su casa y a cenar con sus familiares. Por eso Mario decía que don Roberto no sólo había sido el patrón y el amigo de todos sus colaboradores, sino de algún modo un padre para todos. La última vez que estuvo con él en su casa, ya próxima su muerte, el señor Krause le dijo:

—Quiero pedirte perdón.

—¿Perdón por qué? —le preguntó Mario con sorpresa.

—Porque quizá alguna vez fui exigente y duro contigo.

—Al contrario —le dijo Mario llorando—. En un ocasión en la que llegué tarde a mi trabajo usted no me dijo nada. Pasó el tiempo, yo me sentía culpable y le dije: "Mejor ya regáñeme, don Roberto, no se quede callado".

En esa forma, cada uno evocaba su recuerdo, aunque en los últimos días de su enfermedad, el señor Krause pidió a la mayoría de sus colaboradores que ya no lo visitaran:

—Quiero que me recuerden como yo era, no en el estado en que me encuentro.

Al mismo tiempo, les envió el siguiente mensaje:

—Díganle a cada uno de ellos que debe vivir su propia vida. Yo ya viví la mía.

Mis recuerdos eran tantos que se agolpaban en el cerebro, mientras el padre Francisco y el reverendo Wasson terminaban sus oraciones y nos impartían después su bendición. En ese momento, me pareció escuchar las palabras que varias veces me había dicho el señor Krause:

Dios es el mismo para todos.

Él siempre estuvo por encima de las diferencias religiosas o los fanatismos. Por eso, en aquel momento solemne, bajo el espléndido sol de Cuernavaca, sentíamos que todo en "Las Mañanitas" estaba impregnado del amor del señor Krause.

Terminados los servicios religiosos, imaginándonos cuál sería la voluntad del señor Krause, su esposa decidió que sus restos fueran sepultados en una capilla del cementerio de Cuernavaca, en donde reposaban los restos de su padre Leonard y en donde espero que algún día en la capilla adjunta, puedan reposar los míos.

Por supuesto, no solamente fuimos a despedirlo sus familiares y colaborades, sino varias amistades del señor Krause, tanto de la colonia norteamericana como de mexicanos residentes en Cuernavaca.

Después de sepultarlo, el personal de "Las Mañanitas" decidió reanudar inmediatamente el servicio en el hotel y restaurante.

Todos estuvimos de acuerdo en eso sin el menor titubeo, porque sabíamos perfectamente que eso era lo que el señor Krause habría esperado de nosotros. Cada quien ocupó su lugar en la cocina, en torno a las mesas o en el bar, y nos esmeramos por ofrecer el mejor servicio, con aquel grado de excelencia que el señor Krause nos había enseñado.

A varios de los clientes que acudieron a comer o a cenar aquel 13 de febrero de 1981, les sorprendió mucho enterarse por los periódicos, al día siguiente, que el señor Krause había fallecido. En ningún momento lo percibieron o lo imaginaron mientras los estábamos atendiendo con tanto esmero y con discreción.

En 1979 Don Roberto Krause y el autor de este libro.

Robert Krause and the author in 1979.

Con motivo de las bodas de plata de "Las Mañanitas", Rubén Cerda entrega el premio a que se hizo acreedor el colaborador Fulgencio Ramírez, en presencia de su hija Patricia y de la señora Margot Krause.

Rubén Cerda, with his daughter, Paty, and Mrs. Margot Krause, presenting Fulgencio Ramírez with a prize during "Las Mañanitas" 25th anniversary party.

LA DÉCADA DE LOS 80'S

Creo innecesario decir que durante los siguientes días me invadió el sentimiento de una responsabilidad abrumadora.

Varias personas llegaron a pensar que con la muerte del señor Krause "Las Mañanitas" se vendría abajo y que el equipo humano se iba a desintegrar, y no faltaron rumores de que "Las Mañanitas" estaba en venta, pero la señora Margot y yo sabíamos que el señor Krause jamás nos habría autorizado a hacerlo. De hecho, cuando él vivía, un empresario muy rico había intentado comprarle este negocio:

—"Las Mañanitas" no está en venta —contestó él.

—Piénselo bien, señor Krause. Aquí tiene usted un cheque mío en blanco. Ponga la cantidad que le parezca conveniente y lo firmaré.

Con voz muy enérgica, el señor Krause le preguntó:

—¿Usted vendería a un hijo suyo?

—Por supuesto que no— contestó asombrado el empresario.

—Pues yo tampoco. Por eso no puedo venderle "Las Mañanitas".

Ahora que Roberto Krause había fallecido, nosotros tampoco podíamos vender "Las Mañanitas", porque lo habríamos traicionado. ¿Acaso no se encargó él de prepararme durante tantos años? ¿Cómo podría yo defraudarlo, si depositó su más amplia confianza en mí y en el magnífico equipo de colaboradores que fue formando?

Su esposa, la señora Margot; su hija Rebeca; mi esposa Linda y mis dos hijas estaban también totalmente convencidas de que nuestra obligación era continuar. En las mañanas, antes de asumir mis actividades, pasaba a saludar a la señora Krause, a preguntarle si se le ofrecía algo. Y después de unos minutos de conversación, ella siempre me decía:

—Ya vete a trabajar, Rubén. Tenemos que salir adelante.

Han transcurrido casi diez años desde que el señor Krause pasó a una dimensión distinta, eterna posiblemente, y tengo la convicción de que a lo largo de ese tiempo, nunca ha dejado de observarnos y alentarnos. Él sigue presente aquí y pienso que debe sentirse satisfecho.

Hemos ampliado "Las Mañanitas" de acuerdo con los planes que él tenía. Además de diversas obras de mantenimiento y restauración, incluyendo desde la fachada misma del hotel hasta las tuberías del agua, decidimos construir un club deportivo para el equipo de "Las Mañanitas". Esa idea se inspiró en algunas conversaciones que yo había tenido con el señor Krause, y para realizarla adquirimos una casa vieja en la Avenida Álvaro Obregón, a muy corta distancia de "Las Mañanitas".

Demolimos la casa totalmente y destinamos una parte del terreno a ese club, que cuenta con un gimnasio muy completo, baños de regadera y de vapor, jacuzzi, tatami para la práctica de artes marciales, sesiones de aerobics bajo la dirección de un profesor, una cancha de squash, vestidores, mesa de billar y de ping-pong, otros juegos de mesa y una sala para descansar y ver televisión.

En la construcción de ese club deportivo había razones más profundas que brindarles una simple diversión. Nuestro objetivo era que el personal sintiera plena confianza en el progreso de "Las Mañanitas", y que tanto ellos como sus familiares tuvieran un lugar de reunión en un ambiente sano. Esto les causó una gran satisfacción, y sintieron que el futuro de nuestra organización seguía siendo prometedor.

En la parte restante de aquel terreno, mandamos construir un estacionamiento con capacidad de ciento veinte automóviles para nuestros clientes, lo cual también les hizo comprender a ellos que llevábamos adelante los planes de ampliación y de superación.

Esas obras se iniciaron en 1981 y se terminaron a fines de 1983.

Como podemos recordar, eran años difíciles para México, pero pudimos comprobar que la crisis económica por la que atravesaba el país no afectó a "Las Mañanitas". Por el contrario, nuestra clientela siguió en aumento.

En los cinco mil metros cuadrados que el señor Krause había comprado, construímos ocho "garden suites" que son altamente apreciadas por nuestra clientela. De su construcción, que se terminó en noviembre de 1986, se encargó el arquitecto Héctor Román, pero con la intervención constante y directa de la señora Margot Krause y mía, pues queríamos seguir en todo las ideas del señor Krause en cuanto a los espacios, el ambiente y la decoración.

Debo decir que la señora Krause tiene un gusto muy refinado, por lo que su ayuda ha sido muy valiosa en todo momento. La idea central de Roberto Krause para diseñar algo consistía en ponerse en el lugar de nuestra clientela, imaginar lo que ellos desearían, y complacerlos ofreciéndoles un ambiente propicio para el descanso en armonía con la Naturaleza, y una plena comodidad.

Esas ocho suites se construyeron encima de las instalaciones que se pusieron en servicio cuando aún vivía el señor Krause: la ampliación de la cocina y del departamento de compras, bodegas, cámaras de congelación y de refrigeración, lavandería, almacén de blancos, así como una oficina administrativa lo suficientemente grande para apoyar el crecimiento de la empresa; ampliaciones que estuvieron a cargo del arquitecto Roberto Rivera Aranda.

Con las "garden suites" quedaba concluida esa obra de ampliación, frente al espléndido jardín en el que está la alberca, el hermoso grupo escultórico de Zúñiga y el lago de estilo mexicano-japonés.

Nuestro servicio de restaurante ha confirmado su rango como uno de los mejores del mundo y el personal de "Las Mañanitas" en la actualidad es mucho más numeroso que antes y conserva el nivel de excelencia que se le inculcó.

Quiero enfatizar mi más profundo agradecimiento a todo ese personal. Cuando falleció el señor Krause, no sólo la señora Margot y su hija Rebeca me ratificaron su confianza, sino todos y cada uno de los colaboradores.

En una reunión que tuvimos pocos días después de aquella pérdida, me brindaron su apoyo más entusiasta. Con verdadera convicción me decían:

—Tú vas a poder Rubén. Nosotros estamos contigo. Te apoyaremos en todo lo que ordenes.

Por mi parte, siguiendo la mayor enseñanza de mi gran maestro Roberto Krause, he procurado hacerles sentir en todo momento el orgullo de que cada uno de ellos vale mucho como ser humano; de que todos son capaces de pensar bien, de discernir, de tomar las decisiones adecuadas, si aplican su experiencia y actúan con buena voluntad. Considero que en esa forma nos hemos beneficiado mutuamente: ellos han aprendido algunas cosas de mí, y yo he aprendido bastantes cosas buenas de ellos.

Mucho más puedo decir de la señora Margot Krause, a quien debo tantos consejos muy valiosos, no sólo en lo relacionado con el negocio, sino en mis problemas personales también, pues muestra siempre interés en cuanto a mi familia, a mis preocupaciones, a mis inquietudes, al igual que su hija Rebeca, a la que tuve el honor de conducir al altar, como ya dije, representando a su padre el día en que ella se casó. Rebeca para mí es un ejemplo de generoso amor a sus semejantes.

¿Y qué puedo decir acerca de mi esposa Linda, que ha sido el más firme y amoroso apoyo en todos estos años de lucha intensa?

Conocí a Linda desde que ella tenía diez años. Hija de Bud y Doris Scheuing, ella de origen canadiense y él norteamericano, tenían mucha amistad con el señor Krause y con sus padres. Venían con frecuencia a comer en "Las Mañanitas" con sus dos hijas, Patricia y Linda, desde la época en que yo era un empleado de poca categoría. Pero gradualmente esa familia me brindó su amistad. Y varios años más tarde, tuve la fortuna y la dicha de que Linda, de quien yo me había enamorado profundamente, aceptara casarse conmigo. Considero ese matrimonio como el hecho más afortunado de mi existencia, pues Linda ha sido una admirable esposa, compañera y madre. En los momentos más difíciles de mi vida, ella ha sido mi fortaleza y mi inspiración.

Al hablar de los momentos más difíciles, debo referirme al enorme problema que representó para la señora Margot Krause y para mí el proyecto "Las Mañanitas-Ixtapa", que se quedó en etapa de gestación cuando el señor Roberto Krause falleció. Era tan gigantesco ese plan, que tomamos la decisión de venderlo para poder liquidar el préstamo tan fuerte que nos había hecho un banco suizo, incluyendo los fuertes intereses correspondientes en dólares y reembolsar a las personas que se habían inscrito en la lista de compradores.

Durante varias semanas me sentí abrumado por esa gran preocupación, pero afortunadamente conseguí un comprador, liquidé todos los compromisos y obtuve alguna utilidad para la familia Krause y la familia Cerda.

Todas mis energías se concentraron aquí en Cuernavaca, en el éxito de "Las Mañanitas". Y con la ayuda que el señor Krause nos envía desde el cielo, lo hemos conseguido.

Al finalizar la década de los 80's e iniciarse la última década de este siglo, "Las Mañanitas" con sus hermosos jardines, sus elegantes y confortables suites y su excelente servicio de restaurante, goza del más alto prestigio en Cuernavaca, en México y en varios países del mundo.

Celebración de un año nuevo en la cocina de "Las Mañanitas", el personal brinda con Rubén Cerda.

Rubén Cerda toasting the New Year with the staff in the kitchen at "Las Mañanitas".

LOS CLIENTES DE "LAS MAÑANITAS"

La clientela de "Las Mañanitas" ha sido, desde el primer día, muy selecta. Su preferencia nos enorgullece mucho y constituye el factor fundamental del éxito alcanzado.

Deseo expresar mi más profundo agradecimiento a todos y cada uno de nuestros clientes. Algunos de ellos acostumbran elogiar nuestros servicios al señalar lo que más les agrada, y eso resulta alentador y útil; pero también consideramos de enorme provecho que nos indiquen alguna deficiencia, algún error involuntario. La crítica sana permite optimizar la atención y la excelencia que es nuestro deseo brindarles.

A lo largo de treinta y cinco años, hemos tenido clientes fijos, que vienen una y otra vez a "Las Mañanitas", y que se han convertido en nuestros amigos. Una gran parte de esa clientela fija está formada por personas que residen permanentemente en Cuernavaca, tanto mexicanos como norteamericanos. Pero otros más vienen de diversas ciudades del país y del extranjero, convirtiendo a "Las Mañanitas" en su lugar predilecto para descansar en sus vacaciones.

Se ha dado el caso de algunas parejas que vinieron aquí durante su noviazgo y más tarde a celebrar sus aniversarios de bodas, acompañados de sus hijos y recientemente hasta de sus nietos. Se sienten aquí como en su propia casa; nuestros jardines son una prolongación de su hogar, y por eso los disfrutan mucho en compañía de sus descendientes. En igual forma, muchas personas suelen venir a festejar su cumpleaños, y nosotros nos esmeramos en agasajarlos como lo merecen.

Desde luego, independientemente de su lugar de procedencia o de su rango económico y social, todos los clientes son muy importantes para nosotros. Nuestros jardines, nuestras acogedoras habitaciones y nuestros servicios existen precisamente para ellos. Ellos son la razón de ser de "Las Mañanitas".

Muchos de nuestros clientes han viajado por diversas partes del mundo; han conocido países y lugares muy interesantes y magníficos hoteles y restaurantes; sin embargo, ellos aseguran que su lugar predilecto es "Las Mañanitas". Aquí se consideran especialmente bien atendidos. Sienten suyo este lugar, y nosotros consideramos que verdaderamente les pertenece; que es de ellos y para ellos.

De los Estados Unidos vienen frecuentemente en grupos para festejar algún acontecimiento especial, y suelen hacer sus reservaciones con un año de anticipación. Esto es frecuente, por ejemplo, para pasar aquí las fechas de Navidad y de Año Nuevo, cuando organizamos festejos especiales con varios atractivos. Sabemos que han dejado sus propios hogares para venir desde muy lejos con nosotros, lo cual les agradecemos muy cumplidamente.

Hemos tenido ocasiones particularmente significativas. Algunas personas que vinieron aquí desde su infancia, deciden años más tarde disfrutar su luna de miel en "Las Mañanitas". En esas ocasiones les preparamos un recibimiento especial, procurando que esos días en los que acaban de iniciar una nueva vida para fundar su hogar, resulten inolvidables. Desde luego, existen fechas especialmente concurridas. Entre nuestros clientes mexicanos, muchos desean festejar aquí el Día de las Madres, o bien las patrióticas celebraciones del 15 de Septiembre, cuando organizamos un acto cívico fervoroso y al mismo tiempo cordial. En forma respetuosa, sobria, damos "el grito de independencia" en nuestros jardines y cantamos solemnemente el Himno Nacional.

Muchos norteamericanos, por su parte, vienen a conmemorar aquí el "Día de Acción de Gracias", y suelen comentarnos que el pavo que les ofrecemos está preparado como en su propio hogar. "Es exactamente como el que preparaba mi madre", nos han dicho algunos de ellos.

En cuanto a la colonia norteamericana residente en Cuernavaca, que nos favorece constantemente, algunos nos comentan: "¿Qué habríamos hechos nosotros sin "Las Mañanitas"?.

Les agradecemos profundamente su preferencia y su amistad. Agradecemos también a quienes han traído a sus amigos y familiares de otros países y a quienes llegan a "Las Mañanitas" a recordar a seres queridos que ya se fueron, evocando con emoción su presencia.

Resultaría casi inagotable también la lista de personalidades célebres que han estado con nosotros. Del firmamento cinematográfico hemos tenido el placer de atender a las estrellas más brillantes de México y del extranjero, al igual que la de notables personalidades del mundo político y cultural: escritores célebres, pintores y también deportistas de fama internacional.

Para nosotros, desde luego, resulta muy halagadora su presencia, pero también la de todas y cada una de las personas que con notoriedad o sin ella, disfrutan de nuestros jardines, los alimentos y las habitaciones que les ofrecemos. Todos los clientes son los seres humanos más maravillosos para nosotros. Son nuestros maestros, nos enseñan y nos forman en las disciplinas más difíciles: las disciplinas de la Excelencia. Nos ayudan con sus felicitaciones y nos hacen pensar con ilusión en el gusto de servirles. Su satisfacción es nuestro mayor orgullo.

ALGUNAS ANÉCDOTAS EN "LAS MAÑANITAS"

A lo largo de 35 años miles de personas nos han honrado con su presencia en "Las Mañanitas".

En la primera etapa cuando teníamos únicamente cinco habitaciones, la asistencia principal tenía lugar los fines de semana, y particularmente los domingos, cuando varias familias venían de la ciudad de México a comer y a nadar en la pequeña alberca que en aquel entonces existía, en donde actualmente se encuentran las cabañas. Les ofrecíamos un lugar adecuado para cambiarse de ropa y ponerse los trajes de baño.

Fue en esa época cuando el señor Krause tenía a su perrita "Pixie", que se había convertido en mascota de "Las Mañanitas" y en un pequeño personaje juguetón para nuestra clientela. "Pixie" correteaba alegremente por el jardín, pero a pesar de que el señor Krause procuró educarla muy bien, algunas veces sucedió que la perrita se metía a los vestidores y salía corriendo llevando entre los dientes las prendas de algunos clientes; la perseguían tratando de recuperarlas sin conseguirlo. Era necesaria la intervención personal del señor Krause para lograrlo. Y en el fondo, él se divertía mucho ante aquellas travesuras que nunca causaron perjuicio alguno, porque "Pixie" en realidad, trataba las prendas con cuidado.

Más tarde la pequeña alberca fue sustituida por las cabañas porque "Las Mañanitas" iba adquiriendo una categoría distinta, y se construyó una alberca de mayores dimensiones en el segundo jardín, reservada exclusivamente para nuestros huéspedes.

De México y del extranjero empezamos a recibir a personalidades muy distinguidas. Entre muchos otros, nuestro personal recuerda con emoción al Príncipe Felipe, consorte de la Reyna Isabel de Inglaterra, quien se mostró muy afable y cordial, al igual que el ex-presidente de los Estados Unidos Richard Nixon, para citarlos como ejemplo.

De un modo particular nos impresionó mucho la visita del Sha de Irán Reza Pahlevi y su bella esposa, por el tremendo dispositivo de seguridad que lo acompañaba. Estaba formado por tres grupos de protección: uno de guardias iraníes, y otro de norteamericanos y otro de mexicanos que lo cuidaban constantemente, tanto en el exterior como en el interior de "Las Mañanitas".

A pesar de ello, el Sha se mostró muy amable, pidió felicitar personalmente al Chef Manuel Quinto y al personal de la cocina por los deliciosos platillos que disfrutó y a todo el servicio en general.

Del gran mundo cinematrográfico recibimos varias veces a las dos grandes luminarias mexicanas, la señora María Félix, asidua clienta nuestra y la gran dama Dolores del Río, que conquistaron nuestra admiración y nuestro respeto.

Entre las estrellas internacionales causaba siempre revuelo la visita de la hermosa señora Elizabeth Taylor y su esposo Richard Burton. El famoso actor Omar Shariff se sintió tan complacido en "Las Mañanitas" que permaneció un mes y medio alojado aquí, lo cual nos causó una enorme satisfacción.

Cito tan sólo algunos nombres. Podría agregar muchos más, entre ellos el de Pedro Armendáriz, que se encontraba aquí el día en el que yo entré a trabajar en "Las Mañanitas", en febrero de 1956, lo cual me emocionó mucho porque lo había admirado en las pantallas cinematográficas, pero jamás imaginé verlo de cerca, personalmente. Pedro Armendáriz tenía la costumbre de entrar a la cocina de "Las Mañanitas" para pedirle a nuestro Chef que le agregara a su comida determinadas salsas y condimentos.

Tampoco puedo dejar de mencionar al popular astro Mario Moreno "Cantinflas", muy apreciado por nuestro personal.

Del mundo político mexicano sería demasiado grande la lista de los nombres. Hemos tenido presidentes de la República, gobernadores y altos funcionarios.

Del mundo de las letras y las artes, hemos recibido igualmente a muchas personas, a las que siempre atendemos con el alto aprecio que merecen. Las obras de arte que adornan "Las Mañanitas" dan testimonio de ello, y en forma especial quiero mencionar al destacado escultor Francisco Zúñiga, algunas de cuyas esculturas se pueden admirar en nuestros jardines. Entre el señor Krause y el escultor Zúñiga existió una gran amistad, enriquecida por las largas conversaciones que sostenían.

También del mundo deportivo, hemos recibido a figuras muy destacadas. Baste mencionar al mundialmente fabuloso futbolista brasileño Pelé, a quien tuvimos que aislar finalmente en la terraza de una de nuestras suites para servirle ahí sus alimentos, ante el asedio de sus admiradores, que en el comedor del jardín lo rodeaban constantemente pidiéndole su autógrafo.

Nosotros conservamos la amable impresión no sólo de ellos, sino de toda nuestra clientela.

Me gustaría incluir los miles y miles de nombres de todos ellos, porque cada persona que llega aquí es igualmente importante para nosotros. Lástima no poder hacerlo, ni saber tampoco cuál es el recuerdo que cada uno de ellos conserva de "Las Mañanitas". Ojalá sea grato.

Corredor estilo colonial que conduce a las garden suites.

The colonial-style corridor leading to the Garden Suites.

Vista de una de nuestras suites.

A suite at "Las Mañanitas".

RELAIS & CHATEAUX

La cadena Relais & Chateaux nació hace 35 años en Francia, y pronto se fue extendiendo a otros países, con el propósito de afiliar a diversos hoteles y restaurantes cuyos servicios tuvieran el grado de excelencia en Europa. Su éxito fue tan grande que en la actualidad incluye a 378 establecimientos en 36 países de todo el mundo.

Pertenecer a esa importante organización es un privilegio, que en México se ha otorgado únicamente a dos hoteles. Por eso, para "Las Mañanitas" es motivo de orgullo ser uno de ellos, cuya categoría define Relais & Chateaux con las siguientes palabras: "El confort refinado en una lujosa morada".

Cada año tiene lugar una Convención, a la que acuden los dueños o los directores de los establecimientos afiliados, lo cual nos brinda una excelente oportunidad para conocer a nuestros colegas e intercambiar nuestras experiencias. Esa importante relación no se limita exclusivamente a las reuniones anuales de alto nivel, pues se establecen vínculos permanentes de comunicación, y pueden generar visitas recíprocas que enriquecen aún más la posibilidad de aprovechar esas experiencias mutuas y de canalizar grupos de turistas que desean encontrar un cómodo alojamiento y un óptimo servicio de restaurante cuando viajan a diversos países.

Las recomendaciones de la cadena Relais & Chateaux son para esos turistas una garantía. Además de los beneficios anteriores, resulta muy fecundo el intercambio de personal entre unos establecimientos y otros. Ese intercambio contribuye a la definitiva formación profesional de jefes de cocina, capitanes de meseros y el personal encargado de la administración de hoteles y restaurantes.

También con rigurosa periodicidad, expertos representantes de esa cadena realizan visitas de inspección para cerciorarse de que cada establecimiento afiliado mantenga el nivel de excelencia en todos sus servicios, como un requisito indispensable para tener derecho a conservar su membresía.

Por supuesto, también se realizan visitas que permitan incluir a aquellos otros establecimientos que lo ameriten por su calidad. Nuestra afiliación fue precisamente el resultado de una visita que hizo a "Las Mañanitas" el actual Presidente de la prestigiada cadena, el Sr. Régis Bulot, quien quedó sumamente complacido con nuestros servicios.

Recientemente, en el mes de junio, estuvieron con nosotros el señor Olivier Borloo, Director General de la cadena, y el Sr. Stephen Zimmerman, Presidente de la Delegación Estados Unidos - México - Bermudas y

El Caribe, para presentar en nuestros jardines la Guía **Relais & Chateaux** 1990, y aprovechamos esa oportunidad para sugerir la posibilidad de que puedan afiliarse otros establecimientos mexicanos similares al nuestro. Eso permitiría incrementar el número de turistas extranjeros y apoyar así el esfuerzo promocional que realizan las autoridades y los empresarios hoteleros de nuestro país.

México no sólo necesita construir más hoteles, sino elevar su calidad y contar con personal directivo altamente calificado. Eso es lo que deseamos de todo corazón y sabemos que puede alcanzarse.

El señor Oliver Borloo, Director General de la cadena Relais Chateaux, mostrándole a la señora Margot Krause una Guía 1990, en su presentación en los jardínes de "Las Mañanitas".

Mr. Oliver Borloo, General Manager of the Relais & Chateaux, showing Mrs. Margot Krause the 1990 Guide during its presentation in the gardens of "Las Mañanitas".

UN DÍA HABITUAL

Son las seis de la mañana en Cuernavaca. La ciudad está despertando, mientras en "Las Mañanitas" todo permanece en calma. Los huéspedes duermen, los hermosos jardines están frescos, del follaje de los árboles se van desvaneciendo las últimas sombras y las flores van reasumiendo sus colores vivos. Pero media hora después principia un nuevo día de trabajo.

El personal de la cocina es el primero en llegar para hacer el café, empezar a hornear el pan y preparar los desayunos, junto con una persona de la bodega que deberá proveerles de lo necesario.

En seguida, llega el personal encargado de la limpieza. Todas las áreas de servicio deben quedar impecablemente limpias: los pisos, las paredes, las ventanas... Entre tanto, los jardineros están en plena actividad, removiendo las hojas que cayeron durante la noche, podando algunas plantas, regando el pasto y dando a los flamingos, las grullas, los pavos reales y las demás aves sus raciones de alimento y agua. El departamento de lavado y planchado y las recamareras empiezan a desarrollar sus tareas también. Y por supuesto, el área de mantenimiento, que es el soporte de todo lo demás, se encuentra activa: vigila la presión de las calderas, los equipos de refrigeración y congelación y el funcionamiento de todos los sistemas.

Cuando los clientes empiezan a ocupar el comedor para tomar el desayuno, ya están ahí los meseros aguardándolos con una sonrisa amable para darles los buenos días y con las mesas debidamente montadas.

A esa hora empieza también el trabajo intenso de oficina. Se ha recibido correspondencia que debe ser contestada de inmediato, revisar y confirmar las reservaciones, continuar manejando la contabilidad, revisar facturas... Las computadoras funcionan como si formaran parte también del personal. El área de compras solicita a los proveedores los productos que se requieren, algunos de ellos en forma urgente. Se revisan los inventarios y las cuentas. Y por encima de todo se emiten las órdenes de ese día y se toman las decisiones administrativas necesarias, porque desde la oficina se tienen que manejar todos los hilos del servicio.

Para el mediodía, los jardines bañados por el espléndido sol de Cuernavaca se preparan para recibir a los clientes que irán a sentarse a la sombra de los árboles y de las cabañas para saborear alguna bebida refrescante. El personal encargado del bar se ha preparado para atenderlos debidamente. Tienen listos los vasos, las copas, el hielo, las frutas cortadas que sirven de adorno, los jugos y todas las bebidas que puedan necesitarse para complacer el gusto de cada cliente.

Un poco después, reina una gran animación en nuestro establecimiento. Se escucha la animada conversación de nuestra clientela, que disfruta del ambiente acogedor que hemos creado para que ellos descansen y se sientan complacidos. Les agrada mucho que los pavos reales, que parecen tomar conciencia del papel que les corresponde, despliegan ante ellos el espléndido abanico de sus largas plumas.

El trabajo más intenso y más satisfactorio para nosotros tiene lugar durante las horas en las que muchas personas vienen a comer. Es el momento en que nos esmeramos en confirmar todos los días la excelencia de nuestro servicio de restaurante como uno de los más acreditados en el mundo. El movimiento en la cocina es febril; los capitanes y los meseros van trayendo las comandas, y es necesario preparar con rapidez, pero con cuidado extremo, los deliciosos platillos que viene a saborear nuestra clientela, que habitualmente llena las mesas de la terraza y del jardín desde la una hasta las seis de la tarde, mientras los meseros, motivados por ese ambiente, van y vienen gustosos con sus charolas de servicio.

La responsabilidad mayor a lo largo de todas esas horas recae en los dos Gerentes del Servicio de Alimentos y Bebidas, José Luis Hernández y Sergio Osorio, que reciben con mucha cortesía a todos los clientes que llegan, les asignan sus lugares en el jardín, los conducen más tarde a los comedores cuando sus alimentos están listos, vigilan y coordinan todo el servicio, supervisan la calidad y la buena presentación de los alimentos, se acercan a las mesas para preguntar a las personas si están siendo atendidas debidamente, y por último las despiden con palabras de agradecimiento cuando se retiran.

La mayor satisfacción para ellos y para todo el personal consiste en comprobar que nuestros clientes han quedado satisfechos; que elogian nuestra comida y nuestros servicios, y que algunos de ellos nos dicen: "Las Mañanitas" siguen siendo "Las Mañanitas".

En ese momento nos sentimos relajados, felices, porque todos los días del año empezamos a trabajar dispuestos a dar lo mejor de nosotros mismos.

Al atardecer, el personal de la oficina se ha retirado ya y algunas otras áreas del servicio. El resto del personal se ha ido turnando. Y en sus respectivos tiempos de descanso, pueden aprovechar las instalaciones de su Club, en donde pueden practicar las artes marciales, jugar squash, dominó, billar, ping-pong, ver la televisión, o darse un baño de vapor y regadera.

El área de mantenimiento, a cargo de Don Francisco, no puede interrumpir en ningún momento sus funciones, pero el personal de sus dos grupos se turna también. Lo mismo sucede en el área de recepción en donde los cajeros y su personal montan guardia durante toda la jornada.

A las siete de la noche ha empezado a oscurecer. Después de un merecido descanso, el personal de la cocina, los capitanes y los meseros en turno regresan a sus sitios de trabajo; pronto se reanuda la actividad en el bar, en las cabañas y en los comedores. Ya para entonces, la hermosa iluminación de nuestros jardines se puede admirar en toda su belleza, y en las mesas arden las velas dentro de las bombillas de cristal, que ofrecen una atmósfera romántica para la cena. El Chef Marcelino y su equipo de apoyo en la cocina están otra vez entregados a su tarea, y de nuevo los capitanes y meseros llevan las comandas, atienden y sirven a los clientes, mientras sus ayudantes retiran los ceniceros para traer otros limpios, y se vuelve a escuchar la animada conversación de las personas, a las cuales nos esmeramos en complacer.

Normalmente, el servicio de comedor termina a las once de la noche; y una hora después cuando los clientes se han retirado a descansar, el personal emprende el regreso a sus hogares; pero algunas veces, particularmente en los fines de semana o en algunas fiestas y ocasiones especiales, el servicio llega a continuarse hasta después de la media noche. Cuando esto se requiere, el personal prolonga gustosamente su jornada, porque sabe que eso forma parte de su deber. Y durante las horas restantes de la noche, vuelven a reinar el silencio y la calma, mientras don Pancho y Nacho, los veladores, asumen su deber de cuidar por la seguridad de "Las Mañanitas". Entre las sombras del jardín, las hermosas aves se han recostado plácidamente, y hasta los árboles y las plantas mismas parecen dormir con tranquilidad en espera de un nuevo día.

Un día habitual en la terraza y en el jardín de "Las Mañanitas".

The terrace and garden on a typical day at "Las Mañanitas".

Las magníficas esculturas y muchos de los dibujos que adornan "Las Mañanitas" son obra del excelente artista Francisco Zúñiga. En la foto el matrimonio Zúñiga y la señora Margot Krause.

The magnificent sculptures and many of the paintings at "Las Mañanitas" are the work of Francisco Zúñiga, seen here with his wife and Mrs. Margot Krause.

LA PARTE INVISIBLE DE NUESTRO TRABAJO

Una gran parte de la intensa labor que desarrolla todos los días el personal de "Las Mañanitas", no puede ser observada directamente por la clientela que viene a disfrutar de nuestros servicios.

La parte visible, el escenario, consiste en el comedor, las terrazas, las cabañas y nuestros espléndidos jardines. Ahí se encuentran las mesas, los adornos florales, las obras de arte, los árboles y las plantas, y ahí mismo cumplen sus obligaciones los capitanes, los meseros y los ayudantes, todos bien presentados y dispuestos a servir en todo momento a nuestros clientes. Nuestros comensales más asiduos los conocen personalmente, los saludan, los llaman algunas veces por sus nombres, les agradecen el servicio y les dan las propinas que por supuesto deberán compartir después.

Pero detrás de ese escenario, entre bambalinas, una cantidad muy numerosa de personas trabajan infatigablemente en preparar los alimentos, hornear el pan, lavar la vajilla, los vasos y las copas. Y en gran medida el éxito de "Las Mañanitas" se debe precisamente a esas personas, que casi nunca entran en contacto con los clientes, a pesar de que todo su esfuerzo consiste en complacerlos. Su cotidiana labor es muy intensa, algunas veces agotadora, y a pesar de ello y de la excelente calidad de los platillos que se preparan, los aplausos no llegan hasta ellos. No pueden escucharlos allá en el interior de la cocina.

En un principio, esa cocina ocupaba un espacio muy reducido, en el que realizaban su trabajo con dificultad. Con motivo de la segunda ampliación de "Las Mañanitas", cuando adquirimos el terreno anexo de cinco mil metros cuadrados, la cocina se amplió muchísimo y se modernizó. En la actualidad, constituye un espacio muy cómodo a pesar de lo numeroso del personal, que disfruta incluso de aire acondicionado.

Al frente de ese importantísimo equipo de trabajo durante más de treinta años estuvo el inigualable Chef Manuel Quinto, a quien ya me he referido anteriormete. Desde antes de que el restaurante abriera sus puertas al público el 19 de noviembre de 1955, ya había empezado a trabajar a fondo con el señor Krause, para que los dos juntos planearan un servicio de primera, con una rica variedad de platillos, basándose en las recetas de Manuel Quinto. No exagero al afirmar que él ha sido un factor clave del éxito alcanzado, un verdadero forjador de nuestro prestigio.

Yo creo que un cocinero de excelencia, un verdadero Chef, nace con ese don, que más tarde desarrollará con la experiencia, pero guiado siempre por un instinto natural, lo que llamamos "buena sazón o buena mano para cocinar".

Para prestigiar el menú de "Las Mañanitas" han intervenido desde luego otras personas, empezando por el propio señor Krause y por su esposa, que han aportado ideas y conocimientos, como lo hice yo también después de haberme capacitado en México y en Europa. Pero el protagonista principal ha sido Manuel Quinto, que dirigió con orgullo su cocina durante tantos años y transmitió a otras personas su sabiduría, para formar buenos colaboradores.

Recientemente, por desgracia, el deterioro en la salud de Manuel Quinto lo ha obligado a disminuir la intensidad de su trabajo; se limita a supervisar la actividad de la cocina, y como Chef principal lo ha sustituido Marcelino Araujo, discípulo de Manuel Quinto, quien lo llamó a colaborar en 1961 y lo fue preparando poco a poco.

Dice Marcelino: Durante el primer mes lo único que me encargó fue preparar y cocinar verduras; pero después me fue enseñado de todo, preparar entremeses y ensaladas hasta los platillos más sofisticados y la repostería.

También Marcelino había nacido para convertirse en Chef. Él asegura que siempre soñó con llegar a serlo, y por eso abandonó su trabajo como platero en Taxco, para ponerse a las órdenes de Manuel Quinto en "Las Mañanitas".

Ninguno de ellos dos, no obstante la importancia de lo que hacen, tienen contacto alguno con las personas que saborean lo que preparan; pero curiosamente, ambos conocen bien a nuestros clientes más constantes, no personalmente, sino por los platillos que acostumbran ordenar.

Algunos de esos clientes tienen gustos muy definidos, muy particulares, y en ciertos casos con determinadas exigencias, y tanto Manuel Quinto como Marcelino se esmeran en satisfacer sus exigencias:

—Esa es una regla en "Las Mañanitas". Al cliente hay que darle gusto en todo. Si quiere que su platillo lleve un moño azul o color de rosa, le ponemos el moño para complacerlo.

Lo único que ellos pueden lamentar quizá, es que sólo reciben indirectamente las felicitaciones de los clientes, del mismo modo que de vez en cuando los Capitanes les transmiten alguna queja. Pero eso los ayuda también, pues los obliga a superarse.

Su primera responsabilidad cotidiana consiste en preparar el menú que habrá de elaborarse el siguiente día,ofreciendo una variedad muy amplia de platillos diarios. Por supuesto, varios de esos platillos se ofrecen permanentemente, porque son los predilectos de la clientela y los que tiene mayor demanda, además en "Las Mañanitas" se experimentan en forma constante platillos nuevos, que se someten a varias pruebas antes de salir al escenario. Tienen que ser aprobados previamente por los Capitanes, los meseros, la gerencia y la dirección del hotel y finalmente por la señora Margot Krause, que tiene un excelente gusto. Sólo después de su aprobación, un nuevo platillo se incorpora al menú de "Las Mañanitas".

También el personal de la cocina ama su trabajo, desde los Chefs, sus ayudantes, y los reposteros, hasta los galopinos y el personal de limpieza. Para mí, cada uno de ellos es importante y considero respetable el oficio que desempeñan.

El Chef Marcelino acostumbra decir:

—Yo formo parte de "Las Mañanitas". Desde el principio me puse la camiseta y me encariñé con ella. Y además puedo asegurar que aquí es en donde mejor comen no solamente los clientes, sino también los empleados.

Esta observación es muy importante. Todo el personal de "Las Mañanitas" come bien. Pueden elegir los platillos que sean de su agrado. El señor Krause lo estableció así como demostración del gran aprecio que sintió siempre hacia sus colaboradores, con los cuales, como ya he dicho, le gustaba compartir su mesa en el desayuno, en la comida y en la cena.

Por supuesto, el trabajo de la cocina tiene apoyos muy importantes. El pan que ofrecemos está elaborado en nuestros propios hornos. El equipo de refrigeración y congelación es fundamental también, no sólo para conservar en óptimo estado los alimentos, sino para efectuar los cortes de la carne a una temperatura adecuada.

Lo mismo podemos decir de las bodegas, en las que se almacena todo lo que la cocina puede requerir, cuidadosamente inventariado.

El almacén estuvo a cargo de Carlos Esquivel durante más de veinticinco años, y para abastecerlo oportunamente existe el departamento de compras, actualmente a cargo de Jorge Sandoval.

Otra labor invisible para los clientes, pero de suma importancia para la empresa, es la que desempeña Emilia Villegas, quien se encarga de calcular los costos de cada platillo, supervisar la calidad de los mismos, determinar las porciones, y con base en todo ello fijar los precios.

Cabe mencionar también el servicio de ama de llaves a cargo de Beatriz y de lavandería a cargo de Josefina, y lo que es de enorme importancia, el servicio de mantenimiento de todas las instalaciones a cargo de Don Francisco y sus colaboradores.

El oportuno mantenimiento preventivo y correctivo reviste una enorme importancia en un negocio de esta naturaleza.

Los aspectos que he mencionado se desarrollan fuera de la vista de nuestra clientela; por eso les he dado el nombre del trabajo invisible de "Las Mañanitas". Y por supuesto, el aspecto fundamental de ese trabajo es la administración misma de la empresa en sus diversos niveles: La Dirección General, los Gerentes y el personal de confianza.

Mi más sólido apoyo en esta área administrativa se encuentra en Víctor Sánchez y mi hermano Roberto Cerda. En nosotros tres, se concentra la mayor responsabilidad de la empresa; somos el centro del cual deben de emanar las decisiones más importantes, que determinarán la buena marcha de toda la organización o su fracaso.

Para apoyarnos en esta labor, contamos con un pequeño pero eficiente equipo administrativo: Rosita, María Elena, mi cuñada Patricia y Dulce, que durante ocho horas diarias realizan en forma responsable el trabajo de la oficina. También debo mencionar la importante labor que desempeñan José Luis Hernández y Sergio Osorio a nivel gerencial en el área de restaurante.

Ellos son como una prolongación de nosotros mismos, de nuestros brazos y nuestras manos y gracias a su ayuda podemos lograr un servicio de alta calidad.

Más invisible aún para nuestra clientela son los valiosísimos servicios de asesoría y apoyo que nos han brindado tan eficientemente en el área contable el despacho de la Familia Iñesta a cargo inicialmente de don Miguel Iñesta y posteriormente de su hijo José y en el área jurídica, los señores licenciados Antonio Riva Palacio López durante muchos años y después el licenciado Eduardo Rojas y en los últimos años como consejero y fiel amigo, como lo ha demostrado siempre, el licenciado Hugo Salgado Castañeda.

Por su invaluable ayuda del más alto nivel profesional los sentimos a ellos también dentro de la familia de "Las Mañanitas". Dejo aquí constancia de nuestro más sincero agradecimiento.

Por ningún motivo podría omitir al arquitecto Héctor Román Salgado, amigo entrañable mío, no sólo por su excelencia profesional de la que dan testimonio las hermosas suites que se encargó de diseñar y construir, al igual que la sección de cabañas, imprimiéndoles el sello de arquitectura colonial característico de nuestro establecimiento, sino además el cariño que ha demostrado siempre para "Las Mañanitas".

Sin toda esa labor humana que se desarrolla más allá del escenario visible para nuestros clientes, el éxito de "Las Mañanitas" no habría sido posible.

AL PERSONAL DE "LAS MAÑANITAS"

En la actualidad, nuestro equipo de colaboradores es muy numeroso; cada uno, con sus atribuciones y sus responsabilidades específicas que desempeñan con eficiencia y con dignidad; para mí todos son importantes y son valiosos, desde Víctor Sánchez que empezó como cajero entre nosotros y hoy ocupa el cargo de Gerente General, hasta quienes ocupan puestos de menor jerarquía.

Todos ellos forman el CUADRO DE HONOR DE "LAS MAÑANITAS", que aparece en este libro, mencionándolos por estricto orden alfabético, sin distinciones de ninguna clase, incluyendo por supuesto a quienes en el curso de estos 35 años han fallecido y también a quienes por diferentes motivos se han separado de nosotros.

Algunos de ellos me recibieron cuando llegué a "Las Mañanitas" y me brindaron entrenamiento y consejos, dentro del trabajo y en lo personal, muy valiosos para un joven de mi edad en aquel entonces.

A todo ese personal le debo en buena medida lo que soy; le debo agradecimiento a su paciencia y a su constancia, porque gracias a ellos se inició un SERVICIO DE EXCELENCIA EN "LAS MAÑANITAS".

Expreso mi agradecimiento a todo ese personal ausente. Quiero que jamás piensen que los hemos olvidado.

Mi agradecimiento por sus largas jornadas de trabajo al inicio de "Las Mañanitas" porque llevaron con eficiencia y orgullo la camiseta que defendieron tanto, cuando les correspondió realizar esas tareas y jornadas difíciles en "Las Mañanitas".

A todo ese personal ausente mi agradecimiento; porque sabemos que aún sin colaborar actualmente dentro de "Las Mañanitas", contamos con su apoyo, cariño y entendimiento; y que si en algún momento los necesitáramos, estoy seguro de que vendrían gustosamente a ayudarnos, como lo haríamos nosotros si ellos lo requirieran.

A todo el personal presente, le agradezco infinitamente su entusiasta colaboración. Gracias a ellos dispongo del tiempo necesario para organizar "Las Mañanitas" en tal forma que todos podamos crecer con proyecciones ambiciosas.

Durante una celebración Don Roberto Krause felicita al señor Manuel Quinto, Chef de "Las Mañanitas".

Robert Krause congratulates the Chef, Manuel Quinto, at a party.

GRACIAS POR ESTAR CONMIGO

Sin duda alguna, ustedes son el mejor Equipo del Mundo y con este Equipo podremos alcanzar metas y superar retos muy grandes para todos.

LES PIDO:

Que tengan confianza en mí.

Nuestro crecimiento va a comprender a todo el personal de "Las Mañanitas" y debe tener el apoyo de todos nosotros, particularmente de los que venimos ya de tiempo atrás en nuestra organización, porque nos ha costado mucho trabajo llegar a donde estamos. Tenemos que seguir creciendo enseñando a trabajar a mucha gente. En esa forma pagaremos la oportunidad que se nos brindó a cada uno de nosotros en el momento en que lo necesitamos.

Les pido también que NUNCA NOS DEMOS POR VENCIDOS, a pesar de que los problemas que lleguemos a tener, al luchar por alcanzar nuestras metas, sean las más grandes que nos podamos imaginar.

Podemos tener la seguridad de que todos juntos lograremos alcanzar las Metas y los Objetivos que nos propongamos, por muy ambiciosos que nos parezcan, siempre y cuando, ACEPTEMOS Y VIVAMOS LOS VERDADEROS VALORES que han conducido al éxito de "Las Mañanitas", valores que son:

EL AMOR, LA JUSTICIA, LA HONRADEZ, EL COMPAÑERISMO, LA HUMILDAD PARA ACEPTAR LO QUE NOS FALTA CONOCER PARA SABER HACIA DÓNDE VAMOS Y A DÓNDE QUEREMOS IR.

Considero muy importante, el proponernos y comprometernos a lograr Metas bien planeadas, bien fundamentadas y avanzar juntos a la búsqueda del éxito de nosotros y de muchas personas que se irán agregando e integrando a nuestro equipo. Nosotros seremos un estímulo para que no solamente podamos transmitir lo que deseamos con la palabra, sino con el ejemplo mismo día a día, viviendo la Honradez, la Sinceridad y el Amor a nuestra propia camiseta.

Les pido, por último, que recordemos las enseñanzas que nos dio el señor Krause, especialmente aquella noche, en la cabaña treinta y seis, donde él pasó el último Año Nuevo; donde con una mirada triste y a la vez alegre, nos daba la bendición para que siguiéramos ese camino que él nos había trazado.

Si logramos hacer realidad estos propósitos, llenaremos de felicidad a todos nuestros hijos, a nuestras familias y seres queridos. Con su logro, dejaremos un Mañanitas muy grande, para todos los que van a continuar este esfuerzo.

Pídanle a Dios que todo esto se pueda realizar. Pidámoslo luchando por ello y trabajando para lograrlo.

La señora Linda Cerda acompañada de sus hermosas hijas Patty y Sandy.

Mrs. Linda Cerda with her two lovely daughters Patty and Sandy.

AGRADECIMIENTOS ESPECIALES

A la señora MARGOT URREA DE KRAUSE, por su apoyo y confianza, tanto en lo personal como en el trabajo que desempeño; y en los momentos de enorme satisfacción o de tremendas penas que hemos pasado juntos, en los que me ha hecho sentir que los Krause y los Cerda, somos una sola familia unida con la Familia Mañanitas.

Se ha dicho siempre que detrás de un gran hombre existe una gran mujer, y esa gran mujer en este caso, ha sido ella, la señora Margot Krause, su dulce y fiel compañera.

Su buen gusto tan refinado se refleja en todo lo que ella hace, en la decoración de las habitaciones y los jardines de "Las Mañanitas".

Igualmente le agradezco el apoyo y afecto que brinda a todo el personal de "Las Mañanitas".

A la señora REBECA KRAUSE DE BERNOT, por su punto de vista joven, su alegría y la confianza que me ha hecho sentir, en la representación de su padre, el señor Roberto Krause, que para mí es un honor y lo ha sido en forma especial en los momentos más trascendentes de su vida. Ha tratado con particular cariño a mi esposa Linda, y a mis hijas Paty y Sandy las ha hecho sentir como verdaderas hermanas.

Al señor FRANCISCO BERNOT BARRAGAN, por haber traído a la familia su entusiasmo y felicidad, compartiendo su vida y la de sus hijos FRANCISCO Y LORENZA, quienes nos llenan de ilusiones.

A LINDA L. SCHEUING DE CERDA, mi amadísima esposa, quien ha comprendido siempre mis obligaciones, los difíciles horarios fuera de lo normal, que durante tantos años tuve que cubrir, sin esperar ni exigir que estuviese con ella, olvidándose de ella misma. Siempre me apoyó en la ayuda a mis hermanos, haciéndome ver que lo que yo les di fue sólo una inversión. Ha hecho de mi hogar, un lugar en el que se han compartido siempre los problemas y me ha dado mucho amor.

A mis hijas PATTY Y SANDY, que son la mayor ilusión de mi vida. Me han dado la oportunidad de realizarme como padre, de sentir lo hermoso que fue tenerlas en mis manos cuando nacieron y luego descubrir en ellas su gran sentido de amor y de justicia; compartir sus inquietudes y sus puntos de vista; que acepten mis consejos para bien de ellas con el deseo de que las decisiones que tomen en sus siguientes pasos en la vida sean correctos, y que una vez tomadas esas decisiones sigan adelante a pesar de lo difícil que sus caminos puedan ser, en busca de metas ambiciosas que las lleven a su plena realización.

Ellas son la alegría de la casa. Les agradezco el amor y los cuidados que nos brindan a su mamá y a mí y los altos valores que son el fundamento de todos sus actos.

A MIS PADRES, por haberme dado la vida y haber orientado mis primeros pasos y los primeros años de mi formación. Considero que las madres, en particular, son las más grandes maestras de todo ser humano. Mi madre lo fue absolutamente. Conservaré siempre sus palabras amorosas en mi corazón.

A MI HERMANA Y MIS HERMANOS, por haber aceptado mis consejos y mi guía y por haber comprendido mi preocupación tratando de saber dónde los conducía. Mi agradecimiento por haber creído en mí, y por haber realizado tan buen papel en la vida, no sólo como hermanos, sino como amigos, como padres y como hombres de éxito, y principalmente mi agradecimiento a Dios por haberme dado a ellos como hermanos.

Roberto, el menor de ellos, que siempre se conformó con lo que yo podía darle, nunca me exigió. Aceptó ir a trabajar fuera de México como parte de su preparación para llegar a "Las Mañanitas" en momentos muy difíciles, habiéndose ganado la confianza de la Sra. Krause y de todos nosotros en base a su trabajo y a sus propios méritos. Me ha tenido paciencia y me ha hecho ver poco a poco una mayor actualización, en computación y en los sistemas modernos de trabajo. Su único defecto dentro de "Las Mañanitas" es ser mi hermano.

A LA FAMILIA SCHEUING, le agradezco enormemente que desde que yo era muy joven y ocupaba una posición modesta, me haya brindado amabilidad y afecto. De Doris, especialmente, recibí palabras de aliento, sin que ella imaginara que algún día, al casarme con su hija Linda, me convertiría en su yerno.

De Pat mi cuñada he recibido un gran apoyo tanto en lo familiar como en mi vida profesional, ella siempre ha creído y colaborado conmigo.

Le agradezco su valiosa ayuda en la traducción al inglés de este libro.

Hago extensivo mi agradecimiento a todas las personas que me han ayudado en la vida, y a mis amigos, lamentando no poder mencionar a cada uno de ellos en forma especial. Les ruego considerarse incluidos al igual que todos y cada uno de los clientes de "Las Mañanitas".

Finalmente, deseo expresar mi más profundo reconocimiento al escritor Carlos Elizondo, por sus consejos y su valiosa ayuda en la elaboración de este libro. Gracias a ella, surgió entre nosotros una recíproca y amplia comprensión, así como una amistad sincera y perdurable.

La grulla es el símbolo que distingue a "Las Mañanitas" desde sus inicios.

The crane is the "Las Mañanitas" logo. ➤

Aspecto del jardín y la alberca.

A view of the private garden and pool.

ENGLISH VERSION

MY LIFE IN "LAS MAÑANITAS"

INTRODUCTION

This is the story of my life at "Las Mañanitas", a place of lovely gardens in which an extraordinary man named Robert Krause decided to create his own earthly paradise in the "City of Eternal Spring". He is now in another paradise from which, I am certain, he is watching, accompanying and encouraging us.

I want to tell you about Mr. Krause so that the valuable teachings to be found in his life may be passed on as an example to all those, especially the younger generation, who wish to achieve success, attain important goals, and fulfill a worthy mission in life for the betterment of themselves and their fellow men.

The word "success" has many meanings. I had the good fortune to know Mr. Krause intimately, to collaborate with him for many years and to somehow entwine my own destiny with his. Upon his death, he placed the responsiblity of continuing his work in my hands and in those of the team that he had formed. We felt we could carry on in his absence, since by then we had assimilated his thoughts and ideals, his perception of the world and had come to understand and to put into practice, in the business that he had founded, the high moral values he had taught us.

For Robert Krause, true "success" did not only mean positive economic results. It signified that, of course, but also many more things. His

*material and spiritual horizons were so broad that they cannot be des-
cribed in a few words. That is why I decided to write this book: to share
with you his humanity, his profound sense of justice, his generous consideration of others, particularly his collaborators, from the highest to the
most humble, and above all, his incessant search of EXCELLENCE.*

*Three stories are woven together in this book, until they form a
single fabric: that of Robert Krause, that of my personal experiences and
that of "Las Mañanitas", in the sense that the third story embraces the
lives of those who through their daily work and efforts have come to form
an inseparable part of "Las Mañanitas".*

*Toward the end of 1955, Robert Krause purchased a house called
"Las Mañanitas", thus baptized in tribute to the world famous song of the
same name. In it he established a small but exclusive hotel and magnificent restaurant which, in time, would come to be considered among the
best in the world. Frequented by a distinguished clientele, it has received
the highest praise from the most demanding Mexican and foreign gourmets.*

*We shall see how the story of "Las Mañanitas" and the lives of those
who were and are an integral part of it unfold along parallel lines.*

A DOCTOR OF JURISPRUDENCE
CHANGES HIS PROFESSION

Robert Krause was born in Newport, Oregon, on April 5, 1927.
His father, Leonard Krause, a lawyer, wanted his son to continue in the
family tradition. Robert had different aspirations. He wanted to be an
architect. However, bowing to his father's wishes, he entered the School
of Law of the University of Oregon. Having obtained his law degree and
later his Doctorate of Jurisprudence on June 11, 1950, he began his career
as a lawyer. His university diploma is hanging in our office, among other
souvenirs.

As a reward for the successful completion of his studies, his father
offered him a trip to Europe. Among the countries he visited were
England, Belgium, West Germany and Italy. But what he most enjoyed
was the south of France where he discovered small, exclusive hotels with
excellent service and personalized attention. During his entire life, the
most important word in Robert Krause's vocabulary was "Excellence". It
was the standard for all his actions.

It was during his European trip that Robert Krause first thought
of opening his own small hotel, similar to those he visited in the south of

France. He thought it would be very pleasant to work in the hotel business, providing excellent service for those who, like himself, would appreciate it.

However, he returned to Newport and during a brief period practiced law with his father. In 1953 he was offered a job with the legal department of the Bank of America in San Francisco, where he remained for two years.

When he was able to take a well-deserved vacation, he decided to go to Mexico. He visited all the major tourist attractions including Guadalajara, San Miguel de Allende, Acapulco, Taxco and Cuernavaca. Cuernavaca became his destiny. This was the exact spot that he had been searching for in his heart. That special place where he would settle forever.

Cuernavaca in 1955 was a small city whose principal economic activity was tourism. Many people came from Mexico City on weekends and others traveled from foreign countries to enjoy Cuernavaca's marvelous climate. From time immemorial Cuernavaca has been known as the "City of Eternal Spring". Life in Cuernavaca at that time was tranquil, the atmosphere peaceful and harmonious. Gardens and flowers abounded. Time passed most agreeably without the hustle and bustle and pressures of other places. People were polite and easygoing. There were few residents and we all knew and greeted each other. We were thus able to communicate with greater human warmth among ourselves and with the North American residents of the city. Our lives reflected the spiritual and moral values that meant so much to Robert Krause.

All of these factors led him to decide that this was the moment and the place to realize his dream of opening a small hotel and to carry out his purpose of serving others. The revelation he had was very clear. He did not want to continue practicing law. By establishing himself permanently in Cuernavaca he could create his own paradise, for himself and for others. He could fulfill his vocation as an architect, not only by designing gardens and building new areas for his future clientele, but also by designing and constructing his life according to his personal needs and goals and not those of others.

Having made this momentous decision, he returned to Newport to inform his father of his plans. Leonard Krause thought his son had lost his mind.

"Have you gone crazy, Bob?", he asked.

"On the contrary" Bob responded. "I have finally come to terms with myself and know what I must do."

His father raised serious objections. "You are a lawyer and worked many years training for that profession. On the other hand, you know nothing about running hotels or restaurants. How can you think of being successful in something you know nothing about? And what's more, you don't even speak Spanish. How are you going to understand the Mexi-cans?"

The head of the legal department at the Bank of America in San Francisco raised the same points when Robert resigned and told him of his future plans. "Have you thought it out thoroughly, Bob? Do you realize what you are doing?", he asked. "You have a great future with us. Why do you want to risk it on an adventure in a country so different from your own?"

In spite of everything, young Mr. Krause stuck to his decision and finally convinced his father to give him his blessing. He drove to Cuer-navaca, with little money in his pocket, but full of hope. It was at that moment that Robert Krause's adventure began, an adventure that would lead him to extraordinary success.

THE "CASA DE LAS MAÑANITAS"

Upon arriving in Cuernavaca, Mr. Krause stayed for a while at the Hotel Marik Plaza in the center of the city. My father, Ignacio Cerda, who was in charge of the hotel's reception desk, welcomed him. At that moment, at the beginning of 1955, destiny was forming its bonds, invisible but firm. Bonds that would forever link my destiny to that of Mr. Krause.

My father, recognizing an American tourist on vacation, asked Mr. Krause how long he would be staying in Cuernavaca. He replied that he didn't know but perhaps in his heart he was saying, "Until I die".

Mr. Krause wasted no time in making contact with people who would help him realize his plans. In the "Allegro" restaurant, where he sometimes ate, he made friends with the headwaiter, Pioquinto Samano, who in turn introduced him to a waiter named Antonio Armenta. A few days later, at the Hotel Capri, he met Manuel Quinto, an excellent chef who was to become an important factor in the success of "Las Mañanitas".

Upon hearing of Mr. Krause's plans, my father told him that on Alpuche Street, now known as Ricardo Linares, there was a house for sale called "Las Mananitas". The house had a swimming pool and a beautiful garden. Its owners, Mr. and Mrs. Sinibaldi, had opened a restaurant, but business was poor and they had decided to sell the property.

Mr. Krause liked the house very much, particulary the pool and garden. He thought it was the ideal spot in which to start his hotel business, but he didn't have enough money to purchase the property.

Unwilling to give up his dream because of lack of funds, he

proposed that the Sinibaldis rent him the house for a year with an option to buy at the end of that period. Thanks to his abilities as a lawyer, the contract he drew up would enable him to purchase the house later on.

Once that was done, he made the necessary changes to convert the house into a hotel and restaurant and signed on his first workers. He then began to plan for the inauguration.

AN ANXIOUS FIRST DAY

On November 19, 1955, "Las Mañanitas" opened its doors for the first time. That uneasy first day would always be remembered by Mr. Krause with deep emotion.

By then he had succeeded in forming part of what would turn out to be an excellent group of collaborators. The chef, Manuel Quinto, was in the kitchen ready to prepare delicious, first-class dishes, aided by a cook named Esther. In the dining room, properly dressed, shoes polished, was the headwaiter, Pioquinto Samano, with his team of waiters - Antonio Armenta, Alberto Acosta and their busboy, Elias Correa. In the bar, ready for action, were Emilio Gomez and his helper Alejandro Sotelo, who had worked for the Sinibaldis.

Remembering all this, Mr. Krause later commented: "The day I went to see "Las Mañanitas" when I had decided to purchase the house, young Alejandro Sotelo greeted me with distrust. While I went from one room to the next, carefully examining each nook and cranny, he followed and kept me under his watchful eye. It seems amusing that only a short time later he agreed to work for me. You could say that Alejandro was an integral part of the furnishings included in the rental agreement."

At noon on that November 19th, when the doors of the restaurant opened, everyone present was very enthusiastic. They all wanted to achieve the success that had eluded the Sinibaldis. But time passed and no one showed up. Everything was ready, meticulously prepared. The windows were spotless, the floors clean and the tables were appropriately set with floral centerpieces. The only thing missing was the customers!

Mr. Krause checked everything, making sure that all was in order. As he smoked one cigarette after another, he repeated, "We can't afford the luxury of having things done half-way." His collaborators shared his nervousness.

At that time there were only five rooms and only five tables set on the terrace of the restaurant area. The long wait was finally ended when two American couples came in to have cocktails. The bright new owner of "Las Mañanitas" personally greeted them, saying, "I'm Bob Krause and am originally from Newport, Oregon. I've opened this small business in the hope of offering you the very finest service and food."

Mr. Krause then showed them into the tastefully decorated living room, where a welcoming fire took off the chill of the Cuernavaca evening. Pioquinto Samano took their drink orders, Emilio Gomez prepared them carefully and they were served along with delicious appetizers. The customers praised the lovely garden and the peaceful atmosphere of "Las Mananitas". After a second round of drinks they asked if they could see the menu.

Pioquinto cheerfully brought them a large blackboard with a list of varied and appetizing dishes. "Las Mañanitas" was the first restaurant in Cuernavaca to offer its clientele "a la carte" service instead of a full-course meal, as did all the other restaurants at that time. The variety of dishes on the menu had been carefully planned for several days by Mr. Krause and Manuel Quinto. Mr. Krause often said, "Our chef knows his profession very well and has another very important quality: he puts love into what he's doing, he is creative, and, when he began working with me, he took great pains in preparing new recipes of haute cuisine."

The idea of blackboard menus, one in English and one in Spanish, had seemed to Mr. Krause to be an interesting innovation. When they saw it, the customers smiled and asked Pioquinto to help them choose. Feeling very flattered, Pioquinto began enthusiastically suggesting some of the dishes which in time would make "Las Mañanitas" one of the most celebrated restaurants in the world.

For starters, he suggested the famous avocados from the state of Morelos, filled with shrimp, bathed in Russian or French dressing and served on a bed of lettuce; "Las Mañanitas" onion soup with a large crouton of toasted bread covered with grated cheese; or a cold Vichyssoise soup made of leeks and potatoes, garnished with finely chopped chives, served in an earthenware bowl set on crushed ice.

For the main dish, he proposed one of the specialties of the house: chicken breasts in curry sauce served with white rice and an assortment of toppings including mango chutney, shaved coconut slivers, the whites and yolks of hard boiled eggs, cooked pineapple seasoned with spices, toasted coffee grains, raisins, and peeled almond and walnut bits. He also offered them red or green enchiladas stuffed with chicken and accompanied by broiled beef strips, guacamole, refried beans and fried tortilla chips covered with sweet cream and grated cheese.

After such mouthwatering descriptions, the customers decided to order various dishes and sample each of them.

While they were enjoying their main dishes, Mr. Krause approached the table and asked them if everything was all right and if they had been properly attended. This gesture became a habit for Mr. Krause and a tradition for all of us at "Las Mañanitas". The customers expressed their approval and appreciation of the fact that the owner of the restaurant was personally attentive to their needs.

After congratulating him, they asked if he would recommend a good dessert. Mr. Krause suggested they try the "Black Bottom Pie", a specialty of the house. Made with frozen chocolate pudding, with grated chocolate on top, it is set on a base of cookies laced with rum.

Pioquinto, standing solemnly beside Mr. Krause, shared in the feeling of satisfaction created by the warm praise of these first clients. He was the only employee who spoke English and was, because of this and because of his effeciency, the headwaiter. His knowledge of English was not only valuable to the restaurant but also to Mr. Krause personally. As Mr. Krause commented when he later described those first-day memories to his friends, "If it hadn't been for him, I don't know how I could have reached agreements with my collaborators."

"Las Mañanitas" had begun well. The four Americans, our first customers, were very satisfied. It didn't take them long to recommend this fine restaurant to other members of the American colony of Cuernavaca. That day, the fame of "Las Mañanitas" was born and began to spread.

Today, it is recognized in the United States and Europe as one of the world's best restaurants. It has received many distinguished awards. Among them is the Holiday Magazine Award, which is awarded annually to the world's best restaurants. "Las Mañanitas" has received this award every year since 1968. The winners of this Travel Holiday award are chosen by a committee of world-class restaurateurs, aided by expert investigators, who require that the restaurants selected meet their rigorous standards.

When the Franklin Mint selected the twenty-five most famous restaurants in the world to form part of its Demi-tasse Collection, "Las Mañanitas" was the only restaurant in Latin America to be honored. A replica of this famous collection is kept in a display case at "Las Mañanitas" where guests may admire it.

Mexico City's English-language newspaper, "The News", in writing about the success of "Las Mañanitas", stated that foremost among the factors contributing to this success were the notable capacity of its founder, Bob Krause, his hospitable manner, his talent and the enthusiasm he was able to instill in his collaborators. Another unquestionable factor is the excellence of its service and food. In this respect, our beloved chef, Manuel Quinto, plays an important role. Despite health problems, he continues to this day, to majestically supervise the kitchen, aided by the second chef, Marcelino Araujo, and other expert cooks.

There are many who should be mentionned, from those who were the pioneers to those who have only recently begun working in "Las Mañanitas". As there are too many to mention in this part of the book, I have included, in an appendix, a list of these names, in alphabetical order, including those who have passed away or who have voluntarily left their jobs. All of them belong on our List of Honor - a list of Excellence - and to all of them, in these lines, I express my deepest gratitude.

Yet another factor in this success is the pleasant atmosphere, one of peace and beauty, that one enjoys at "Las Mañanitas" and which reflects our fervent desire to give satisfaction and a sense of well-being to all of our customers.

I must add yet another factor of even greater importance, and thatis our customers who have so generously given us their patronage during so many years. This clientele consists of Mexicans and foreigners from different parts of the world who, on so many occasions, have come to enjoy our atmosphere. I dedicate a special chapter to our distinguished clients in this book as a testimony of appreciation from us all.

Mr. Krause, the inspiration and soul of "Las Mañanitas", summarized the success of the establishment he founded in a single word : "Love".

The love that inspired all his actions began with himself. Love for oneself, correctly understood, is what permits us to design our own lives with noble aspirations that reach out and encompass others. With love, the effect of our actions will always be positive, surmounting the stumbling blocks, the rough times and the painful moments that exist on all paths of life.

At "Las Mañanitas" this love can be clearly felt in the careful attention to every detail of its rooms, its gardens and all its spaces. Mr. Krause loved his employees, who formed a part of his family, the family of "Las Mañanitas". He projected this love to his customers who also form a part of the "Mañanitas" family. In a very profound way, he loved Nature - its trees, plants and birds with which he adorned our gardens.

Love was the fundamental reason for his success and the reason why all of us remember him so fondly.

That first day, November 19, 1955, ended happily after other customers began arriving. At the end of the day, when the hend the service, Mr. Krause and all his employees could breathe a sigh of satisfaction. There was not the slightest doubt that it had been a good beginning.

HOW A GREAT TEAM WAS FORMED

The actions of all human beings are the reflection of their way of thinking and feeling. Robert Krause was always an intelligent and generous man who felt profound affection for his fellow men. One of his basic convictions was that all human beings are essentially equal, and for that reason deserve the respect, affection and stimulation of others, regardless of their social condition or the nature of their job. For him, all of his employees, whom he preferred to call "collaborators", had the same importance - from the most humble kitchen helper to the manager of "Las Mañanitas".

This philosophy, so profoundly humanistic, was to be the decisive factor in showing me the road I should follow.

Through my father's recommendation, I had the good fortune to start working at "Las Mañanitas" only three months after it opened. On February 25, 1956 I was given the position of handyman, a humble job that entailed my changing and cleaning ashtrays, putting newspapers and candles in the fireplaces and washing glasses. I was fifteen years old. In a short time, I was lucky to be appointed busboy to Reyes Diaz Beltran, a waiter who came to work with us a little after I did. It was he who originated the unique style of service at "Las Mañanitas". He was my teacher and my friend. I will always be grateful to him.

Of course, at that time I didn't speak a single word of English, so I wasn't able to communicate directly with Mr. Krause at all. Sometimes he would give me a pleasant greeting, or some demonstration of kindness and consideration, as in fact he did to everyone else. Verbal communication was achieved through an intermediary, Mrs. Elizabeth Spens, an American woman who spoke fluent Spanish and English and acted as manager of the hotel.

Although each employee had specific tasks, Mr. Krause taught us from the beginning that we must act as a team. We were to have no "speciality" and when necessary, each of us should be ready to do a little bit of everything. It was forbidden to say, "That's not my job, I don't do that."

As an example of the preceding, remember Alejandro Sotelo who came to "Las Mañanitas' as part of the inventory? Well, we called him "the man of a thousand uses" because he worked equally well as a gardener, busboy or caretaker.

This work philosophy was very important and contributed much towards achieving the excellence of service that Mr. Krause wanted and got. Besides being able to fill in for absent personnel in this manner, the idea of working as a team, the famous "teamwork" that Americans so admire in all activities from sports to big business, filled us with a greatsense of love for "Las Mañanitas". We all felt important and part of a brotherhood. So-called hierarchies at work often cause a lot of problems, divisions, envy and bitterness. Those never existed at "Las Mañanitas". The philosophy of teamwork and the generosity of spirit that Mr. Krause transmitted to us was such a positive thing that, many years later, when Mr. Krause died, it showed us that not even he was indispensable.

He also taught us that despite our achievements, we should be ready, every day, to face a new challenge. Each morning, as we began work, we were to renew our goals and our efforts. Mr. Krause would not let us rest on the laurels we had won the day before.

"Total perfection can never be achieved," he would say, "but we must keep trying to achieve it every day."

Our work was very intense and we had to make a great effort to improve ourselves. But that didn't mean that Mr. Krause felt that the only obligation in life was to work. He believed that rest hours, family life, recreation and meditation were very important. Free hours, the weekly day off and vacation periods were sacred. Even he, who was so intensely active and involved in everything, rested between the lunch and dinner services. He would retire to his room in "Las Mañanitas", where he then lived, to renew his energy and recover his high spirits.

During that same interval of three hours, the waiters, kitchen staff and helpers left the hotel to go to their homes or visit their friends.

Even though Mr. Krause lived alone at that time, in his comfortable room at the hotel, he had a deep respect for family life. He frequently talked about this with his employees. He would ask them if everything was going well for them in their homes and would enquire about the well-being and education of their children. He would also help them resolve any problems they might have.

An important part of his labor policy was to make loans whenever necessary, although he was quite strict about the repayment of such loans. Prompt repayment, he believed, would permit his workers to ask for more loans in the future when they were needed. His most noble concern was that his employees have a decent home. In a manner of speaking, he was the precursor of modern housing programs for workers. He would secure financing for his employees to enable them to purchase their own homes. He also established other incentives, such as "summer bonuses" as a reward for everyones good work.

As to the gratuities or tips that were left by customers and which constituted a complementary income for the employees, Mr. Krause devised a system whereby they were equally distributed among the personnel, so that the waiters were not the only ones to benefit. The tradition was established that tips were put into a "kitty" every day and distributed proportionately, as in a "pool", at the end of the day.

After thirty- four years, I still remember, with emotion, that on myfirst day of work I received a total of five pesos, as my share of the tips. At that time, especially. for a boy from the humble classes as I was, those five pesos seemed to me an important sum of money. I received them with joy and ran home to give them to my mother, who began crying. I remember thinking that night, "If I manage to get five pesos every day, I'm going to be rich."

That first day of work was very important to me. Early in the morning my mother had given me a pair of impeccably pressed pants and a shirt that she herself had embroidered, and of course, her blessing.

"I want you to look very nice so that you will make a good impression on Mr. Krause," she said.

I felt very happy wearing that shirt, so lovingly embroidered, even on the collar and cuffs. The truth is that none of my companions at work had a shirt like mine.

On my way to the hotel, very nervous as it was my first day, I remembered the words that my maternal grandfather had once said to me. "Try to make everyone who knows you proud of you and every time someone teaches you something be sure he doesn't have to repeat it."

Those words had a decisive influence on me because they contained a great message. It's frustating to deal with someone to whom you have to repeat the same things, or show him how to do something, over and over again in order for him to learn. I can assure you, without being vain, that, thanks to my grandfather's advice, it has never been necessary to explain things to me twice.

For his part, my father told me to try to remember the name of every customer. I've followed his advice to the letter. It has been my personal experience that clients like to be called by their names. It defines each person and underlines his importance.

Above all, I wanted my grandfather to be proud of me, even though he couldn't see me at that time. My grandfather lived in the small town of Tanhuato, Michoacan where I was born and where I spent my infancy, surrounded by the love of my family, and especially the love of my grandfather and my Uncle Alfredo. Of them all, the most important member of the family for me was and still is my grandfather. He was a man of very high quality. A muleteer during his youth, he later bought a truck to transport grains.

To the preceding, I must add other traits of Mr. Krause that reflect his humanitarian manner of treating his personnel and his great ability in motivating them.

When he sat down to eat after having attended to the customers, it was his custom to share his table with some of his employees. Everyone eventually shared in this conviviality, even those who were assigned the most humble tasks. They would sit at the table while others would serve them dinner as though they were customers of the restaurant, with thesame attention and respect. To those who were eating at his table, Mr. Krause would ask, "How does it feel to be on the other side of the service, to be seated at a table?"

Using the same rotating system, he would also send each and everyone of the employees to Mexico City to the finest restaurants. He recommended that they observe the quality of the service and the food as well as the prices, comparing them to that of "Las Mañanitas". And he insisted on having a resume of these "learning dinners". The waiters, as well as the cooks and their respective helpers thus gained valuable experience.

It's easy to understand why the majority of the employees at "Las Mañanitas" have always been very happy to work here. We have several employees who have been here for thirty years or more. Of course some have left because other hotels in Cuernavaca or elsewhere have promised them better working conditions. In reality, they haven't always kept their promises. They have merely taken advantage of the excellent training those employees received at "Las Mañanitas". Some employees have been sorry they left and have sooner or later wished to return. But at "Las Mañanitas" Mr. Krause firmly established that only those who had previously given excellent service could return.

Another inflexible principle among us concerns the distribution of tips from the "pool". Any waiter or busboy who keeps a tip in his own pocket without adding it to the common fund, is automatically dismissed. This rule was instituted, not by Mr. Krause, but by the personnel.

The spirit of companionship and brotherhood among the employees at "Las Mañanitas" is reaffirmed on every anniversary. On those days, when the restaurant service ends, a big celebration is organized for the employees and their families. Some of these fiestas have been particularly significant.

For example, on the night of the first anniversary of "Las Maña-nitas", Mr. Krause and Mrs. Elizabeth Spens personally served the tables at which the employees sat. And on the twentieth anniversary, on November 19, 1975, Mr. Krause gave a gold coin, a "centenario", to each of the employees with seniority on the job. To the others with less time in his employ, he gave smaller gold coins.

I also want to add something very important. All the personnel at "Las Mañanitas" is Mexican. Although he was a foreigner, Mr. Krause profoundly identified with Mexico, which he called "my country". He even went so far as to Hispanicize his name and enjoyed being called Roberto Krause. In some of the finer restaurants in Mexico City and even in Cuernavaca, it was the custom to hire a foreign chef, preferably European, a Frenchman or an Italian. Mr. Krause had another vision of things.

Before he opened the doors of his restaurant, he had chosen a man originally from Taxco, Manuel Quinto, to be his chef and run his kitchen - thereby entrusting him with an important part of the future of "Las Mananitas".

The end result of that wise decision can be appreciated today as we have one of the best restaurants in the world. On various occasions, the owners of highly prestigious restaurants have tried to tempt Manuel Quinto with attractive offers. Manuel, of course, has always turned them down.

"I love "Las Mañanitas," he says with pride. "I'm a part of this place. From the very first day I put on the Mananitas shirt, I have been wearing it with great satisfaction."

DESTINY TIGHTENS ITS BONDS

As a testament to my eternal gratitude to Mr. Krause and to the profound admiration he always inspired in me, I want to refer in this chapter to the twenty-five years during which I had the privilege of working with him, knowing him well, appreciating his qualities and learning many fine things from him.

I owe my personal development to Mr. Krause. At fifteen, when I started to work in "Las Mañanitas", I didn't know anything, not even the simple tasks I was given. I couldn't converse with Mr. Krause, not just because of the language barrier, but also because I felt that he was way above me. With his characteristic goodness, he began to approach me little by little. He knew my father, who was the first person to receive him at the Marik Plaza in Cuernavaca. He asked me about him and, later on , when my father went to work in the United States, Mr. Krause worried about my mother and my younger brothers whom I had to support. Discovering that I had only studied until the fifth grade, Mr. Krause forced me to finish primary school and later to take night classes in high school. It was very hard for me, because during the day, from early in the morning, I had to work. But he urged me on persistently and I had to obey him. I had to show him that I was doing well in my studies and was obliged to show him my report cards.

I don't have to say how much I now appreciate this. His truly parental demands on me helped me a great deal in life. By then I had risen from handyman to busboy. It was my first step up the ladder. I had also, little by little, become fond of school. I no longer felt like an insignificant, poor little boy. I had turned into a good student and had made good friends at school.

Regarding the above, I must mention something that always seemed strange to me. While Mr. Krause always treated almost everyone else at "Las Mañanitas" lightly, he was very strict with me. Sometimes his demands seemed exaggerated to me because he didn't treat me like the others. How could I have imagined, during those first years, the reason for this attitude, just how lucky I was and what Mr. Krause had in store for me?

My destiny, for which I thank God, had started to form its bonds from the day in which my father met Mr. Krause. And a few months later the bonds were being tightened, bit by bit to my benefit, without my understanding what was happening.

Why did Mr. Krause notice me? Why did he prepare me to become his successor? And what is more moving, why did I eventually become a part of his family, a son? I'll never know. Most incredible of all is that during those first years, I was always worried about his strictness withme. Later I understood that in his eyes, I was not just another of his employees: he had reserved a special place for me at "Las Mañanitas" and in his heart.

When I started working at "Las Mañanitas", Mr. Krause lived alone in what had previously been a service room in the old house. He had modified it and had added another room to serve as an office. His only companion was a little female boxer named Pixie who became the mascot of "Las Mañanitas". He bought her in Cuernavaca to replace Lindy, the pet he had had in Oregon. In the final chapter of this book, among the anecdotes I recall, will be some about the tricks Pixie played on the customers, to the great amusement of Mr. Krause. He loved animals, especially birds. That's why the garden of "Las Mañanitas" was gradually filled with various species of birds, including noisy macaws of vivid colors, parrots, vain peacocks, swans and svelte cranes, which to this day attract the attention of our clients. The cranes served as an inspiration when Mr. Krause designed the logo of "Las Mañanitas". It appears on all our dishes and table service: a blue crane on a white background.

We often worried about the fact that Mr. Krause lived alone. A few years later, however, we had the satisfaction of seeing him frequently in the company of Miss Margot Urrea. Originally from the state of Sonora, she had come to live in Cuernavaca with her family. It wasn't unusual for him to invite his sweetheart to dine at "Las Mañanitas". They spent a lot of time together at table 27, holding hands and talking.

Margot Urrea was a young lady of great physical and spiritual beauty. She had received a fine education and did everything with delicacy, smiling with great friendliness. Although she was still very young, almost an adolescent in terms of actual age, she was mature and every inch a lady. Mr. Krause always called her "Nina" or "Little Girl".

From the beginning, the employees of "Las Mananitas" respected and admired her.

Her family was very strict. She had to return home at an appointed hour. She had been educated in the Catholic religion. Mr. Krause, on the other hand, had been raised by his mother in the Jewish faith and, before she died, she made him swear that he would never abandon those beliefs or waver in his strict adherence to the laws of Moses. Mr. Krause kept his promise, but always showed deep respect for the beliefs of the woman who was to become his wife. He agreed to marry her in the Catholic church.

The marriage was celebrated on May 9, 1961. This event was a source of great joy for all of us, and in honor of the marriage, the doors of "Las Mañanitas" were closed to the public on that day.

With this event, began the second expansion of "Las Mañanitas". The first had simply consisted of adding two more rooms to the hotel'-soriginal five. During the second, four more hotel rooms and a large suite of rooms for Mr. Krause and his wife were added. He himself collaborated on the designs and the construction with the engineer in charge of the project, Jesus Sanchez. Mr. Krause's dream of being an architect was being fulfilled.

At that time also, he began acquiring works of art to replace those of little value that were originally in the house. His good taste in these matters is apparent today as we have sculptures and paintings of great value that are much appreciated by our clientele.

After his marriage, Mr. Krause succeeded in slowing down his intense rhythm of work in order to spend more time with his wife, and later with his only daughter, Rebeca. Consequently, he entrusted more of the daily operations to Salvador Castaneda, who he had appointed as manager some time before. Salvador Castaneda was very professional and had helped me a great deal during my first years at work. He later left "Las Mañanitas" to open his own establishment.

With the increased facilities, the success of "Las Mañanitas" also grew. Customers could now enjoy their meals on a terrace overlooking the gardens.

When Rebeca grew older, Mr. and Mrs. Krause decided to move out of the hotel and live in a house they had built on Avenida Palmira. They named the house "Villa Nina". By then I had grown very fond of Rebeca, and she of me. I spent some of my free time taking her for walks. Our mutual affection continues to this day. The little girl and her mother treated me as though I were part of the family, and although Rebeca now lives in Mexico City with her husband and children, the ties of affection that bind us are very much alive.

Rebeca has always been a sweet, friendly person, full of true goodness. She not only brightened the lives of her parents, but of all those whose lives she touched, including mine. Perhaps her greatest quality has been her discretion. In all the years I have known her I have never heard her speak ill of anyone. Her remarks are always positive. I am grateful to her for many things, especially for the joy she has given to those around her. When I married, she showed great affection for my wife, Linda, and later for my two daughters whom she has always treated as sisters. When her parents would take a trip somewhere, "Rebe" would come to live with us. But the most important thing of all for me is that when her father passed away, she placed her filial love in me. In a certain manner, and of her own volition, she chose me to occupy the place her father had held. I took her father's place when she graduated from high school, and later, it was I who escorted her to the altar on her wedding day. I have always considered this to be a privilege and an honor. It was a further honor to be the godfather at the baptism of her son, Francisco. Through her, the Krause and Cerda families have become one.At work, I went from handyman to busboy to waiter and then headwaiter. It seemed marvelous to me and enabled me to provide more comforts for my mother and to pay for the education of my brothers. I insisted they go to school and made them show me their report cards, just as Mr. Krause had done with me.

Regarding my own education,after finishing junior high, I took senior high school classes at night. Later Mr. Krause sent me to Mexico City to polish my English. Private English classes were given to the employees of "Las Mañanitas" but, in my case, Mr. Krause wanted me to perfect this language. He sent me to the Mexico City College for that purpose. Ninety percent of the students at the college were Americans, so English was spoken not only during classes but at recreation periods also. It was hard for me to compete with them. Not only in studies but with the wide social relations they enjoyed and the standard of living they shared. Almost all the students had their own cars and plenty of money to spend. I managed, thanks to the kindness of the Planning Director, Mrs. Elizabeth Lopez, and to the words that Mr. Krause had spoken to me in Cuernavaca: "Remember that no one is worth more or less than you. All human beings are equally valuable."

Little by little I shook off my complexes and returned to Cuernavaca dreaming of the day that I would become Manager of "Las Mañanitas".

There, in those beautiful gardens and in that hotel, was my real world, a lovely reality to which I hoped to always belong. My destiny, still tightening its bonds, was there.

MR. KRAUSE'S PARENTS

A wonderful surprise was in store for me. Mr. Krause sent me to the United States so that I could practice my English. I was to stay at U.S. hotels, studying their systems of organization and administration and the quality of the services they offered. But best of all, I could spend a few days in Oregon with Mr. Krause's parents. It was the greatest gift I could have been given.

Leonard and Ethel Krause lived in Portland. When I arrived, I was greeted by two members of the family, Mike and Steve Spiegel, whom I had met a year earlier when they had vacationed at "Las Mañanitas". They had both befriended me then, especially Mike, to whom I took a big Mexican charro hat. They drove me from the airport directly to the Krauses' home where I was received by Leonard Krause with the following words: "You are most welcome here, Ruben." I was being received not as a stranger or mere visitor, but as a member of the family.

I had met them before at "Las Mañanitas" because they liked to spend winter vacations with their son, Roberto. Mr. Leonard affected a certain roughness in his attitudes and words, but I noticed very quickly that he was really a man of great goodness, like his son. This kindness of heart was reflected in the warm brightness of his eyes.

My stay in Oregon was most pleasant. Shortly after my arrival, Mr. Leonard asked me if I would like to see the house in Newport where his son Roberto had been born. I was delighted by the idea as I was curious to see the place. The house was set on a hill with a beautiful view of the ocean and surrounded by apple, cherry, pear and fig trees. Mr. Leonard had planted the trees. There was also a fountain in the garden with multi-colored fish. It was in that place that his son Roberto had learned to love nature.

Inside the house there was a cozy fireplace. When I saw it, I understood why Roberto Krause so liked to build fireplaces at "Las Mañanitas". The house was decorated with taste and one could feel the pleasant atmosphere in which he had grown up. Over the fireplace was a photograph of the little boxer, Lindy, the predecessor of our mascot, Pixie. I also noticed that there was a collection of agates. Mr. Leonard explained that he and his son had collected them. He later took me down to the beach and said, "Look for agates like those in the collection." Unfortunately, although I looked hard, I never found one.

Mr. Leonard was very proud of the success his son was enjoying in Mexico. Perhaps he smiled to himself when he thought of how strongly he had opposed his son's project in the beginning. His satisfaction grew even greater when he found out that one of the employees of "Las Mañanitas", while visiting in Newport, was being interviewed on a local radio station in Toledo! The community was very proud of what Robert Krause had accomplished in Mexico. I talked a lot during that interview about his success and recall adding these words: "The climate in Cuernavaca is possibly the best in the world. The flowers in the gardens of "Las Mañanitas" bloom all year long."

After my wonderful stay in Oregon, I traveled to Chicago, St. Louis, Los Angeles and other cities in the United States. I remember that I was in Phoenix, Arizona when I heard the terrible news of the assassination of President John F. Kennedy on November 22, 1963 - a tragedy that shook the United States and the entire world.

At the end of the year, Mr. and Mrs. Leonard Krause returned to "Las Mañanitas" to spend the winter with us. As usual they occupied room number five, which was their favorite. Mr. Leonard would go out every morning with a basket and garden shears to cut hibiscus with his daughter-in-law, Margot. They were in charge of the floral arrangements for the tables and the reception desk at the hotel.

All was going along smoothly and pleasantly, when all of a sudden Mrs. Ethel Krause became very ill. Despite the fine medical attention she received, she passed away in Cuernavaca in early 1964. A profound sadness overcame Mr. Krause, his son Roberto and all of us at "Las Mañanitas". Mrs. Ethel had contributed greatly to her son's success, and had done so quietly and patiently, without boasting. Not only had she given her son physical life, she also had given him a rich spiritual life. She had taught him to live with love. She had been his most transcendental teacher, as my mother had been to me.

After surmounting the most tiresome bureaucratic paperwork and red tape which should not exist in such cases, the body of Mrs. Ethel was finally returned to Portland for burial.

Mr. Leonard, feeling lonely in Portland after his wife's death, decided to sell his house and spend the remainder of his life at his son's side. For seven years he lived in room number 5 at "Las Mañanitas", under the loving care of his daughter-in-law, Mrs. Margot Krause, and one of the chambermaids named Chabelita, who became his guardian angel.

Chabelita was truly admirable and worthy of the highest praise. Hers was a noble example of patience and kindness. She took care of him day and night, selflessly, until Mr. Leonard passed away in 1971.

A VOYAGE OF DISCOVERY

The loss of his parents had greatly saddened Robert Krause, but it didn't change his manner towards us nor his enthusiasm for "Las Mananitas", which continued to be a success. He worked more intensely than ever, still managing to devote time to meditation and the outlining of new plans.

One morning, while seated at table 26 as usual, he called me over and said, "Sit down, Ruben. I want to talk to you about something very important. You have got to go to study in Europe."

I was astonished and blurted, "To Europe?"

It had never crossed my mind that I could one day travel so far. I told Mr. Krause that my real desire in life was to continue working at "Las Mananitas". My aspirations were there.

"Well, of course you're going to keep working with me. Of course. But if you stay here, you're not going to get the excellent training that you need."

"You know very well I can't go," I replied. "With my job here, I support my family. I couldn't abandon my mother and my brothers."

"I've thought of that," he replied. "Every two weeks, I will deliver your salary to your mother. Your job will now consist in getting good training in Europe and then applying here what you have learned there."

Mr. Krause spoke with great certainty. He always thought ahead, more so than others, and could see horizons expanding. He weighed and calculated everything.

Before my astonishment wore off, I remember that I said, "I'll have to think it over, Mr. Krause. This has taken me by surprise."

He smiled paternally and said, "Think it over, Ruben, think it over ..."

Without a doubt he understood that, because of the unexpectedness of the offer, I was reacting absurdly. I was in such a state that I waited two days before I found the opportunity to broach the subject again.

"I've thought it over well, Mr. Krause," I said. "You're offering me a great opportunity. I know that you will help my mother and my brothers in my absence."

I immediately went to Mexico City to the embassies of Italy, France, Switzerland and Belgium, gathering information on the best hotel schools in each country.

I decided to go to Italy first, and after getting my passport and visas, returned to Cuernavaca where my co-workers at "Las Mananitas" organized a wonderful farewell party for me. Finally, with the blessings of my mother and brothers and with Mr. Krause's valuable advice, I flew to New York and sailed on the "Christopher Columbus" to Naples. After admiring that splendid bay, considered one of the most beautiful in the world, I left for Perugia. In this small medieval city, I took the first steps towards realizing the objectives of my trip, one of which was to learn Italian. I enrolled at the Universita Italiana per Stranieri, where I remained for three months. Having mastered the basics of Italian, I went to Stresa, on the shores of Lake Maggiore, where the hotel school at which I wanted to study was located.

However, I had a few doubts after I visited the school. I thought it would be worthwhile to familiarize myself with various schools before making a final decision, since Mr. Krause expected me to get the very best training possible.

I went to Belgium and visited a very prestigious school in Uccle, whose academic level was very good. I then went to Lausanne, Switzerland and became convinced that it had the best hotel school in Europe.

To enter it, one had to meet several requisites. The first was to be able to speak French, the school's official language. That was fine with me as it obliged me to learn another language, certainly an important thing when it came to haute cuisine and tourism. It was worth learning because, besides the Mexican and American tourists who mainly patronized "Las Mananitas", there were also tourists from France. As a result I traveled to Tours, south of Paris, and took an intensive course in French for three months.

I then formally submitted an application to the hotel school in Lausanne. While I waited for my date of admission, I received the happy news that Mr. Krause, accompanied by his wife and Mrs. Carmen Coleman, would be arriving in Europe in a few days. I was overjoyed at this news. Although I had made some good friends during the long months that had passed, I was filled with a sense of solitude that got worse every day. So it was wonderful to meet Mr. Krause, his wife and Mrs. Coleman at the airport in Amsterdam. Together, the four of us began an unforgettable trip.

I mustn't digress too much in giving a detailed description of that trip in this book. I will try to limit myself to mentioning the most exciting moments.

After spending the first night at the Amsterdam Hilton, we began the great adventure of discovering the best restaurants and hotels of Europe and enjoying the excellence of their service and cuisine. Of course, the culminating point of the trip was Paris, the gastronomic capital of Europe. We lunched and dined in various prestigious restaurants, among them "Lasserre", located a block from the Champs Elysees, on the top floor of a small building. It has a movable ceiling which enables one, weather permitting, to see the sky and stars. We loved "La Tour d'Argent" with its wide-windowed view of the River Seine and the Cathedral of

Notre Dame. The beauty of this harmonious group of buildings was accentuated by the night lighting of the city. On leaving the restaurant we bought some haute cuisine recipe books and a pamphlet about the history of the prestigious establishment. The service we received in all these places was excellent. But the greatest dining experience was the splendid dinner Mr. Krause had ordered for us at "Maxim's". He personally made the selections from the menu and ordered the right wine for every dish, including a bottle of Dom Perignon champagne after dessert, which was a Grand Marnier souffle.

I had the impression that I was in another dimension. "Is all this real?" I asked myself, "Or am I dreaming?" For several months , I had been living the life of a student in Europe. It hadn't been easy because my resources were limited. Suddenly I was living like a millionaire, dressed in elegant clothes that Mr. Krause had bought me, and enjoying the delicacies of the most renowned restaurant in the world.

The service we received was a lesson in excellence. I tried to absorb each and every detail. Only someone who has been a waiter, as I, is aware of how many details must be taken care of. It is the sum of all these details that makes the difference in the quality of service. At "Maxim's" everything was perfect. The cutlery and service plates were of silver; the napkins delicately embroidered; and the tables adorned with beautiful floral arrangements.

What most impressed me was the professionalism of the "sommelier", or wine steward. Each bottle of wine was presented with grace for the client's consideration. He then delicately uncorked the bottle, sampled the wine in a small silver cup hanging from his neck, poured the wine carefully into a carafe of cut crystal, leaving the wine sediment at the bottom of the bottle.

I shall never forget that dinner. Once again, Mr. Krause showed his generosity in making me feel important, above all in his eyes. For that kindness and many more, I continue to revere him.

I remember an amusing scene that took place later in Lyon. At the restaurant the "Pyramide", Mrs. Coleman asked me if we could take an ashtray as a souvenir. We tried to hide it, but as we were leaving, the ashtray fell and noisily broke on the floor. She and I were very embarrassed, but Mr. Krause roared with laughter. The restaurant personnel, instead of pulling long faces, hurried to offer us another one, thanking us for having dined there.

In the south of France, we stayed at some of the fine small hotels that Mr. Krause had visited before. These had inspired him to open a similar place in Cuernavaca with the added advantage that our marvelous climate makes for incomparable gardens. And, as Mr. Krause commented, "The exuberance of our gardens, is what permits us to offer harmony and beauty to our clients."

We arrived at the French Riviera where we very much enjoyed the hotels and restaurants of Nice and Monaco. We then took the highway that borders the Mediterranean and entered Italy at Portofino. This highway of many curves affords splendid views of the sea from the height of its cliffs. The Italian Riviera, all along the length of the Gulf of Genova, has excellent places to stay and to dine.

From there we went to Venice, arriving one Saturday at sunset. I will never forget that first night, hearing the songs of the gondoliers along the Grand Canal, their gondolas beautifully decorated and lit, and later, the music and romantic atmosphere of the Piazza San Marcos. I felt transported to a magical world. In the deepest corner of my heart, I thanked God for the wonderful experiences He was giving me, in the company of loving people who offered me so much warmth and affection.

While we were having a drink in the Piazza, we were very moved to hear an orchestra playing Mexican music, the songs of Agustin Lara and the world famous "La Paloma".

Everything contributed to the happiness of our little group. As we were returning to the Hotel Danielli, situated along the Grand Canal in front of the church of San Giorgio, Mr. Krause spoke these words to me:

"As you know, Ruben, I am convinced that all human beings are equally important, but also different, You and I are important for what we are, what we do, and what we have lived."

Not wanting to go on too much about that extraordinary trip where I learned so much, let me simply add that after we contemplated the sublime works of art in Florence, our trip ended in Rome. We stayed at the famous Hotel Excelsior which was, at that time, the best hotel in Rome. The next day I was surprised to learn that Mr. Krause, before leaving Mexico and with his usual foresight, had applied for an audience with His Holiness, Pope Paul VI. The audience was granted and was the most moving experience one could possibly imagine. I can hardly express the emotion that those of us who profess the Catholic faith feel when we are in the presence of the representative of Christ on earth. This can be seen in the fervor with which His Holiness, Pope John Paul II, has been received by the Mexican people on two occasions. But it is even more impressive to see the Pope and speak with him during a private audience in the Vatican and there receive his blessing.

It was like that for Mrs. Krause, Mrs. Coleman and myself. But it is also true that Mr. Krause, professing the Jewish religion inherited from his mother, was equally and profoundly moved. This demonstrates once again his great sensitivity since it was he who had requested that audience.

I took advantage of that wonderful opportunity to have Pope Paul VI bless the medals I had bought in Rome for my mother and brothers.

By coincidence, that same morning His Holiness received a group of Mexican pilgrims which included the famous actress, Maria Elena Marquez. We knew her personally as she was a faithful client of "Las Mananitas". While we were in the Vatican, we also met Monsignor Sergio Mendez Arceo, then Bishop of Cuernavaca. He was attending the Ecumenical Council that was being held at that time. We talked and Mr. Krause very kindly invited him to join us for dinner at the "Hostaria dell'Orso". He accepted and we were amused to see that , despite his corpulence, the Bishop arrived at the restaurant in a tiny Fiat 500!

The Hostaria was an elegant restaurant, famous not only for its typical Italian food but also for its sophisticated international cuisine. In a manner of speaking it was the Roman equivalent of Maxim's of Paris. To begin, we all ordered Italian pasta with sliced white truffles in a cream and white wine sauce which was prepared at our table. Each of us ordered a different main course. I had the veal which was so tender that I could cut it with my fork.

The Bishop's conversation that evening was very interesting. He spoke of the importance of the Ecumenical Council. It would ultimately succeed in unifying the various ideological currents existing in the Catholic church. I had to make a great effort to divide my attention between listening to the Bishop's words and observing all the details of the restaurant's service. Monsignor Mendez Arceo's animated conversation in no way prevented him from enjoying the dinner as much as we did.

Sensing our deep interest in the Council, he invited us to attend the solemn mass which would be offered on the following Sunday to commence the Council.

Following a list prepared in advance by Mr. Krause, we went to many other wonderful restaurants in Rome. Among them were "Da Meo Patacca", el "Passetto" in Trastevere where I tasted caviar for the first time, and "Alfredo" where Alfredo himself brought Mr. Krause a fork and spoon of gold with which to eat his famous fettuccini. On all these occasions we drank excellent regional wines.

As a farewell, they allowed me to take them to "La Biblioteca", where I had eaten very well before. The occasion was very special. It was the last night that Mr. and Mrs. Krause and Mrs. Coleman would spend in Europe. The evening was charged with emotion which we tried to overcome in the best possible way. We had more wine than usual!

The next day I accompanied them to the airport where I said "Goodbye" with tears and hugs, giving them my profound thanks for such a splendid trip and for the golden opportunity of knowing the best hotels and restaurants in Europe. That same day, with great nostalgia, I took the train to France, there to continue my modest life as a student.

During the train trip, I had a lot of time to reflect on the marvelous weeks I had spent in their company. I thought especially of all the affection they had shown me at every moment. Their attitude can only be compared to that of a family enjoying a trip with one of its members. I understood, furthermore, that not only had I learned many new things regarding the hotel and restaurant business, but also that during our many and long conversations, they had taught me important new principles of life and new attitudes toward living. Those weeks were far more informative for me than I could have imagined. Actually, I had become a different man.

Two months later, advanced in my French studies and having satisfied all the requisites, I finally entered the hotel school in Lausanne.

At first it was difficult for me to get along with the other students. Almost all of them were the children of European hotel or restaurant owners or managers; wealthy young people used to an upper-class standard of living. In short, they were accustomed to being served, not to serve; to sit at a well-set table and savor the finest wines according to the established etiquette. Fortunately, the weeks I had spent with Mr. and Mrs. Krause and Mrs. Coleman served me well in this respect and it didn't take me long to make some good friends. This confirmed the fact that I had a certain natural facility for making friends. I didn't feel the need to invent an appropriate lineage. I sincerely believe that my simplicity of manner favored my relationships and my communication with others. At the same time, perhaps because of my background, as well as my committment to Mr. Krause to learn as much as possible and prepare myself well, I realized that I was more observant than the majority of my classmates.

The months I remained in Lausanne proved to be very benficial to me for the rest of my professional life. However, I had to interrupt my studies before finishing because I received a telephone call from Mr. Krause. He unexpectedly suggested that it would be convenient if I returned to Cuernavaca. The reason was that Salvador Castaneda, after years of excellent collaboration at "Las Mananitas", had left his position as manager to open his own hotel. Mr. Krause offered me the option of finishing my studies in Lausanne or returning immediately to Cuernavaca to assume the post that Mr. Castaneda had left vacant.

I didn't think it over very much! Suddenly I was being presented with the chance to realize my wildest dreams. I told Mr. Krause that I would return with great pleasure, packed my bags and spent the return trip to Mexico filled to the brim with joy. I was happy, not only with my new prospects but also because I had a tremendous desire to see my mother and brothers, whom I had missed terribly while in Europe.

My arrival at the Mexico City airport gave me another of the great surprises of my life. There I saw Mr. Krause, smiling affectionately and beaming with goodwill, together with all my co-workers at "Las Mañanitas". That evening, service at the restaurant had closed a little before the usual hour so that all the personnel could travel, in several cars, to

Mexico City to receive me. Moreover, my friend Mario Velazquez had hired a group of mariachis who added the final touch to that warm welcome. Amidst hugs, tears and laughter, I felt myself to be the luckiest man in the world. We went from the airport to Cuernavaca, and the festivities of my return to "Las Mananitas" continued until it was time to strip the tables and put away the silverware.

It was almost dawn when Mr. Krause said to me, "Now it's time for you to get some rest, Ruben. You must be very tired after your long trip home. Because of the difference in hours between Europe and Mexico, it's almost noon for you. Don't come to work today. Enjoy it with your family. But remember that tomorrow, you must be here early to begin your new job."

While my co-workers stripped the tables and Mr. Krause retired to his home, I lingered in the beautiful gardens of "Las Mananitas". I saw everything around me as though it were a dream becoming a reality. Here again was my world. My past, my present and my future were here, in this place I loved so much.

Standing in the middle of the garden, I looked upward and saw the sky filled with stars. At that moment I thought of my grandfather, of all his love and all his noble teachings. In some mysterious way, I returned to my infancy and felt that my grandfather was watching me from somewhere. I prayed and thanked God profoundly for all He had given me, and, finishing this prayer, returned to my home to enjoy the incomparable warmth of my family.

THE SPIRIT OF FELLOWSHIP

After having rested a full day, happily spent in telling my mother and brothers of my experiences in Europe, I got up quite early to begin the new phase of my life at "Las Mañanitas".

My spirits could not have been higher. I had found out the day before that during my long absence Mr. Krause had kept his promise that my family would want for nothing. They had written that to me in their letters, but it was nice to hear it personally.

I arrived at "Las Mañanitas" appropriately dressed for my new position, with an elegant tie that I wore for the first time. Mr. Krause arrived a little later and smiled with satisfaction on seeing me in my new outfit. Throughout the day he presented me to all the clients saying, " Ruben Cerda is the new manager of "Las Mañanitas". He will take care of you as you deserve".

He said this with satisfaction, like a father presenting his son, and that was most encouraging. At the same time, I felt a great sense of responsibility, a tremendous weight on my shoulders, for the job I had undertaken. I was determined to double my enthusiasm and my efforts.

During that first day and the days that followed, I noticed that the hotel and restaurant personnel were no longer treating me in the same friendly way as before. They addressed me with great respect and spoke to me formally, keeping a certain distance as they had done with Mr. Castaneda. I didn't like this at all. Perhaps my new position as manager justified this attitude and I wonderd if I should leave things alone. But I soon came to the conclusion that this was not what I wanted. I did not want to lose those affectionate and important ties of fellowship that united me with them.

After consulting with Mr. Krause, and with his approval, I called everyone together during a rest period and asked them why they were treating me in such a respectful and solemn manner. When they heard my question, they all looked at each other but no one answered.

"I want you to clarify one thing for me, " I said. "Am I not the same Ruben as before? Has my absence in some way changed our friendship?"

As they all remained silent, I looked at the one who was closest to me and said, "Let me ask you, Pancho. Are you still my friend?"

Panchito's face lit up with a smile and he answered, "Of course, Ruben."

That answer was sufficient to break the ice. "Good old Panchito", as we called Francisco Perez Diaz, had started working at "Las Maña-nitas" in 1957, barely a year after I had. We were almost the same age, as at that time, he was 14 years old.

He was a simple boy who had come from Jojutla and didn't know how to do anything! I remember that when our work hours extended far into the night, he would sometimes fall asleep behind the bar from sheer exhaustion. In Jojutla, as in most small towns in our country, the custom is to rise at dawn and to go to bed early. Mr. Krause had to teach him everything. Panchito, an excellent waiter now, was formed at "Las Maña-nitas". In that meeting with the personnel he was happy to see that despite the differences in our respective positions, I remained his colleague and friend.

The others felt the same way. They were all there: the Chef, Manuel Quinto, a veritable institution at "Las Mañanitas"; Marcelino Araujo, his closest collaborator in the kitchen; the loyal Chabelita; Mario Velazquez, who had started working at the age of 13 as the busboy's helper and who nows occupies a position of great importance. His son is with us today. I would like to mention all of their names now, but I am leaving that for later on. What I do wish to say is that that meeting had very positive results. I have never regretted my decision to sweep away the barriers that my new position threatened to create. Thanks to that decision, my old colleagues have formed a real team with me. After all these years, they continue to give me their support, affection and loyalty. They know my background. They know that I started working at "Las Mananitas" on the lowest rung of the ladder. They are proud that I have been able to climb that ladder and that serves as a stimulus for them.

This spirit of companionship has also been passed on to the newer employees and is yet another factor in the success of "Las Mañanitas".

THE GARDENS OF "LAS MAÑANITAS"

In the following years, Mr. Krause was determined to continue expanding "Las Mañanitas", and, to this effect, he purchased 5000 sq. mts. of land next door, to the west of the hotel. His idea was to construct several luxury suites, expand service areas such as the kitchen and store room, and build a new pool to replace the old one. He planned to design an even more beautiful and larger garden than the existing one.

I have already mentioned that Mr. Krause loved trees, plants and flowers. His passion reached such an extreme that he sent me to Japan to get ideas from their magnificent gardeners and implement these in Cuernavaca! By that time, I had experienced the joy of having married an exceptional woman, full of beauty and virtue. It was thus that my wife, Linda, and I went to the far-away country of the rising sun.

Upon our return, our enthusiastic comments about the beautiful Japanese gardens confirmed what Mr. Krause and his wife had seen when they had visited the public gardens in Tokyo, Kyoto and other cities of Japan. Mr. Krause's passion for gardens had made him audacious enough to seek, and obtain, permission to visit the private gardens of the Imperial Palace.

Enriched by these collective experiences, he began to design what was to become a garden of true splendor. In this he was aided by our dear friend and long time collaborator, Guillermo Tejeda, owner of the Xochicalco nursery here in Cuernavaca.

The new garden was a synthesis of plants and styles. The Japanese do not have the same exuberant vegetation that we have so they use water and stones as complimentary embellishments. Mr. Krause decided to build a lake at the far end of the garden where several species of birds could live. He could clearly visualize the entire project. I remember how precisely he described the shape, size and placement of the lake.

Today, our hotel has two large garden areas that are one of its main attractions. The original garden can be admired from the terrace dining area. It was a part of the original house but has since undergone major improvements. Due to the success of the restaurant, part of this garden was taken over in order to construct a second terrace area. It is our customers' favorite spot for al fresco lunches and dinners. Directly opposite this area, cabanas were also constructed. These cabanas are an attractive addition to "Las Mañanitas". Our clientele enjoy having drinks in the welcomimg and airy cabanas. They can make their lunch or dinner selections from the blackboard menu, and while waiting to be seated at their table, converse and relax in this special atmosphere. Some paintings from our valuable art collection are displayed on the walls of the cabanas.

At night, the tables are enhanced by candlelight;floodlights bathe the trees and plants; and the paintings and sculptures are beautifully illuminated. The whole creates a truly romantic atmosphere.

In the second larger and newer garden, where the new pool and artificial lake were created, the geese, ducks, swans, flamingos, peacocks and slender cranes roam the grounds. Between the pool and the lake, one can admire the splendid sculpture by Francisco Zuniga which has been highly praised both by experts and by visitors from Mexico and abroad.

All of us who work at "Las Mañanitas" are proud of our gardens, but no one more so than Fulgencio. Fulgencio began as a gardener in February 1971, and for the twenty years that have passed, has dedicated himself heart and soul to their cultivation and maintenance. His team of six is entrusted with our hotel's greatest beauty.

Fulgencio maintains that his obligation is to get along with his boss and his plants. Mr. Krause passed on to Fulgencio his profound love of nature.

All year long, we have blooms in abundance: azaleas, bougainvillias, jade vines, flame flowers, tricolor "flag" flowers, birds of paradise, and many more. Jacaranda and tabachine trees add to this wealth of color.

Perhaps the most arduous work for Fulgencio and his team is clipping the lawn so that it always looks like a soft green carpet, and feeding and caring for the birds. All of these birds - guacamayas, cocatus, peacocks, cranes and flamingos - are very delicate and require very special care.

Fulgencio recalls that during the ten years he worked with Mr. Krause, only once did he hear him raise his voice in anger. This happened when one of the African cranes died, despite the veterinarian's diligent attention. When Mr. Krause saw the beautiful bird lying dead in Fulgencio's arms, he severely berated him. The next day, however, with his characteristic goodness, he apologized to Fulgencio. Fulgencio had not been offended since he knew that the harsh words of the preceding day, sprang from Mr. Krause's great love of animals.

Fortunately, in the pleasant atmosphere of our gardens, the birds reproduce happily and we welcome each new generation with enthusiasm.

THE "LAS MAÑANITAS" - IXTAPA PROJECT

Everything was running smoothly at "Las Mañanitas". Mr. Krause appeared full of vitality and had begun to envision new, far-reaching projects. His creativity was oriented to an ambitious project that he named "Las Mañanitas" - Ixtapa. The plan was to construct a time share condominium complex featuring special services and attractions, on the beachfront in Ixtapa.

Mr. Krause proposed that I be his equal partner in the project. I was extremely flattered by this and felt that I was assuming a tremendous new responsibility.

In order to select just the right spot for this development, we had visited many resort areas in Mexico, such as Acapulco for example. But it seemed to us that Acapulco already had too many tourist attractions. Our idea was to offer something different, something original. Puerto Vallarta, Manzanillo, Cancun and Cozumel all had good possiblities. But when we saw Ixtapa, all of us, Mr. Krause and his wife, Margot , my wife, Linda, and I, fell in love with its beautiful beaches and open sea. We saw dolphins playing in the water, seagulls flying elegant and free, and behind us the deep green of the mountains, in breathtaking contrast to the sand and sea.

While we watched the magnificent sunset, we decided that this was the ideal spot. Mr. Krause remarked that neither Hawaii, the Cote d'Azur, Malaga, Mallorca, Bora-Bora nor Penang, could offer the marvels of Mexico's beaches.

Ixtapa, near the picturesque and typical fishing village of Zihuatanejo, 35 minutes by plane from Mexico City and easily accessible by road, had no condominiums at that time. We would, therefore, be the first ones to build a 15 -story complex (the maximum height authorized by Fonatur) offering a panoramic view of the ocean and the mountains. Some of the villas would have the added attraction of a private lake. The complex was to include a first-class restaurant, beachside pool, a lobby bar, two gyms with steam bath and sauna, four professional tennis courts, game rooms, billiards, ping-pong, a soda fountain and a self-service store.

The ambitious project got underway. We purchased two lots totalling 4.5 hectares, with 190 meters of beachfront. Mr. Krause and the architect, Hector Roman, spent eight months developing and refining the plans. An accredited construction company promised to complete "Las Mañanitas-Ixtapa" by autumn of 1981. Several people, including many of our clients and friends, signed purchase agreements, attracted by this novel and fascinating idea.

It was a dream, golden and expensive, but Mr. Krause was able to obtain financing from a Swiss bank and the construction began.

However, fate always has the last word. We began to notice that Mr. Krause's health was rapidly deteriorating. He had always been an indefatigable man, but now he was pushing himself to the limit. He hardly slept. He was so absorbed in the Ixtapa project that he would work well into the night revising the plans or adding new ideas; or, awaken in the middle of the night to write down something that had just occurred to him. In order to sustain this intense rhythm, he drank several cups of coffee and chain smoked, with little regard for his health. For the first time since we had known him, his wife and I noticed signs of fatigue in this energetic man. His appearance was so disquieting, that we took him to Mexico City for medical examinations.

The terrible truth soon became evident. Mr. Krause had cancer. He decided to go to the United States, to the famous Cedar Sinai Hospital in Los Angeles, for new tests and intensive radiation therapy. His wife, Margot accompanied him. Later, my wife and I joined them, wishing to be at his side.

MR. KRAUSE COMPLETES HIS TASK

Dr. Spencer Koerner, of the Cedar Sinai Hospital, told Mr. Krause that he had little time left. Mr. Krause replied that he wished to spend his remaining days at his home, with his people, in Cuernavaca. He decided to discontinue the radiation therapy and he and his wife returned to Mexico.

We will never forget those last days of his life. The patience with which he called each of us to give us his advice and last recommendations was the final example of his profound sense of responsibility, of humanism and goodwill. We felt that he had truly loved us.

I was with him during those last days and witnessed his behavior towards his collaborators.

He said to me: "I am leaving you with an extraordinary team. You, as the head of this team, will have no problems. Take care of Manuel Quinto, of Manuelita, try to get a house for her, and take very good care of Chabelita, because she dedicated so much time to my father and I am very grateful."

I remember that he particularly recommended the following: "Be careful to maintain a sense of justice in Mañanitas. Be sure that everyone is treated well. You must continue to love these people ..."

He was in great pain. Sedatives helped him but he lived with his eyes on his watch to see when he could take the next one.

He also said, with a sad look in his eyes but with the great delicacy that a true humanist has: "Above all, take care of my wife and my daughter, Rebeca. They will need you and your protection."

I asked him what we should do with the Mañanitas-Ixtapa project. He replied that since his illness had begun he hadn't wanted to have anything to do with it. He added: "You have 50% and I have the other 50%. I know you will defend your interests but also those of Margot and Rebeca. You know as well as I what this represents. I can only advise you to be careful of certain people who will have only their own interests at heart."

He recommended that I handle with care the huge dollar loan that we had received from the Swiss bank. He gave me the names of some people who could help in this but he was more focused on "Las Mañanitas" than on the Ixtapa project.

"If someone comes to you asking for a job and you know that he is worth $1,000.00 but that you can get him by offering $800.00, give him the $1,000.00 he deserves. This way, you will not only have a collaborator, but also a friend", he said.

I then remarked that I would try to run "Las Mañanitas" as he had, in his manner and with his philosophy.

With an ironic smile he replied, "Don't even try it...you will have to run Mañanitas as Ruben Cerda, not as Robert Krause. I want you to know now that many times when we were discussing problems and how to deal with them, you were right but I never said so. It would have gone to your head. Authority must be firmly established so that discipline and order can be maintained. Many times, you will feel lonely and sad, but I want you to know that you will never be alone. Remember me. I will be there to help in what I can, I will be with you, and one day, we will be together again"

On New Year's Eve, 1980, for the first time in the history of "Las Mañanitas" the man who had been at the helm, always on the work front, sat down to contemplate his labor and watch his team work. He was in cabana number 36, seated with his back to the wall, with all of Mañanitas in front of him. He wore a green woolen shirt with a jacket and later, a white overcoat. He was very cold, no doubt an effect of the chemotherapy. This treatment had also caused him to lose his hair and he always wore a hat during those last days.

I remember his expression, full of love for his life's labor, for his team and for the organization to which he was bidding farewell. His eyes said "..I am leaving.." and we felt as though he were giving us his blessing, in this place of discipline and order, of excellence in service, that he had so lovingly created with and in us.

He was surrounded that evening by his wife, his daughter, my wife, Linda, and other close friends.

The cancer had reached his liver and it was difficult for him to eat during those last days. He tried to spare us and his attitude seemed to say, ".. This is life, life is this way ... and it must be faced with fortitude. I am going, I will be with God and you must pray that He take me, since I know you don't want me to suffer."

We spent Tuesday, February 10, 1981 with him but around 10:00 P.M. my family and I went home. However, he woke up a little later on and asked his wife to call me so that I could be with him. I went immediately. He said, "Ruben, stay with me ... you don't know how much time I have left and if I need to tell you something I would like you to be here with me." I stayed by his side for three nights.

At times he would hold his wife and me by the hand. And he would ask us to pray to God to take him...

We put pillows on either side of his bed and his wife and I stayed there by his side. On Thursday night he told us that he was very tired and, turning toward his wife, said, "Nina, ask God to take me ... you don't want me to suffer, take good care of Rebeca ... remain together..." He kept insisting that we all remain united.

He had wasted away, weighing only thirty-five or forty kilos. It pained me to see such a strong man, who had once weighed eighty kilos, so wasted by disease. His eyes and body were yellow due, no doubt, to his infected liver. However, his gaze was one of love and resignation and was a message of life for us all. His wife was beside him, speaking to him, and I saw him go out, like a candle that is extinguished. We didn't know whether to grieve or to thank God that he had been taken ... conflicting emotions swept us. On the one hand, sadness at his now palpable absence and on the other, happiness that his suffering had ended.

These last moments were also shared by his friend of many years, Dr. Carlos Garcia.

I then called his principlecollaborators, Victor Sanchez, Mario Velazquez, Manuel Quinto and Heliodoro Martinez, and asked them to advise the whole team.I also wanted to thank them all for their support duringthe finaldays when I had been absent from Mañanitas a great deal.

Mrs. Krause called her family and friends and asked them to join us for a memorial service which was to take place in the gardens of "Las Mananitas", that same day, at 10:00 A.M., before the burial.

It is impossible for me to forget that 13th of February, 1981. Mr. Krause had died at daybreak and a few hours later we were paying tribute to him in the garden that he had so loved.

All the "Las Mañanitas" personnel, overwhelmed by the news of his death, assembled in the garden and listened with fervor to the mass officiated by Father Francisco, of the church of Amatitlan, and Father William Wasson, whose humanitarian works had received so much support from Mr. Krause.

Father Wasson had consecrated his life to the protection of orphans and abandoned children. All Cuernavaca was familiar with the old farm called "Our Little Brothers". Few knew that Mr. Krause helped these children and that the bonds of friendship between Father Wasson ·and him were strong and of long standing. Twenty years before, in 1961, Father Wasson had officiated at the wedding of Robert Krause and Margot Urrea.

During the funeral ceremony, Father Wasson prayed for the soul of Robert Krause, for his family and for the personnel of "Las Mañanitas".

We were all profoundly affected: his wife Margot, Mr. Krause's sweet and loyal companion, and his daughter Rebeca;my beloved wife Linda, and my daughters; and all the employees from the lowest to the highest.

The old guard prayed with great devotion, filled with nostalgia and memories. Mr. Krause not had called them his "old friends" but his "pals" and would say that they were a part of his family. Chabelita, the loyal chambermaid, remembered with sadness the last time she had seen him in the garden, saying goodbye to his favorite crane.

"I am going but you will remain at "Las Mañanitas" and behave", he said aloud. In reality, he was bidding farewell to all the birds, trees and plants. He remained, thereafter, in his house, suffering great agonies. Near his death, he asked Chabelita to care for and remain with his "Nina". His "Nina" was his wife, Margot.

Mario Velazquez remembered the happy days when Mr. Krause would invite him to swim at his house and dine with his friends. That is why Mario always maintained that Don Roberto had not only been the boss and the friend of his collaborators, but their father as well. The last time that he had been with him, close to the time of his death, Mr. Krause had said:

"I want to beg your forgiveness."

"For what?" Mario had asked.

"Because I may have been demanding and very hard on you at times", replied Mr. Krause.

"On the contrary", Mario said. "Once, when I arrived late to work, you said nothing. Time passed and I felt very guilty. I finally went and begged you to reprimand me, not to remain silent."

In this manner, each person evoked a memory. During his final days, Mr. Krause had asked most people to stop coming to visit him. He wanted them to remember him as he had been, not as sickness had left him. He sent all of them a message, urging them to live their own lives. He had already lived his.

My memories were so many that they jostled in my mind as I listened to Father Francisco and Father Wasson finish their prayers and give their blessing. At that moment, I seemed to be hearing the words that Mr. Krause had often spoken; God is the same for everyone.

He was always above religious differences and fanaticism. At that moment, beneath the splendid sun of Cuernavaca, we felt that all of "Las Mañanitas" was suffused with his love.

At the end of the ceremony, believing it to have been his wish, his wife decided to place his remains in the chapel of the Garden of Peace cemetery in Cuernavaca, next to those of his father. I will someday be laid to rest in an adjacent chapel.

Naturally, many of Mr. Krause's friends, both American and Mexican, joined us in the final farewell.

After the funeral, the personnel decided to resume service at the restaurant and the hotel. We all agreed to this with no hesitation since we were perfectly sure that this is what Mr. Krause would have wanted and expected of us. We all took up our positions, in the kitchen, bar and restaurant. We outdid ourselves in providing the excellent service that Mr. Krause had taught us.

Many of the customers who went to "Las Mañanitas" that 13th of February, 1981, were surprised to learn, in the newspapers the following day, that Mr. Krause had died. They had noticed nothing amiss in the service we had provided with such polish and discretion.

THE DECADE OF THE 1980's

Needless to say, I was overwhelmed by a sense of responsibility in the days that followed.

Several people believed that with Mr. Krause's death "Las Mañanitas" would suffer and that the team would disintegrate. Rumors abounded that "Las Mañanitas" would be sold. But, both Mrs. Krause and I knew that Mr. Krause would never have allowed this to happen.

As a matter of fact, a very rich business man had once tried to buy "Las Mañanitas". Mr. Krause had replied that it was not for sale.

"Think it over, Mr. Krause", he said. "Here's a blank check. Fill in the amount you want and I'll sign it."

In a forceful voice Mr. Krause asked: "Would you sell your own son?"

To which the businessman replied that of course he wouldn't.

"Well, I wouldn't either and that's the reason that "Las Mañanitas" is not for sale."

Now that Robert Krause had died, we couldn't sell "Las Mañanitas" without betraying his trust. And hadn't he carefully prepared me for years? How could I fail him now, after he had placed his confidence in me and in the magnificent team that he had formed?

Mrs. Krause and her daughter and my family were convinced that our obligation was to continue. Each morning, before work, I would go to see Mrs. Krause, to see if she needed anything. And, after a few minutes conversation, she would invariably say:

"Go to work now, Ruben. We must carry on."

Ten years have passed since Mr. Krause left this world. I am persuaded that during this whole time he has never ceased to watch over us. He is present and, I think, satisfied.

We have expanded "Las Mañanitas" according to his plans. In addition to maintenance and restoration work, from the facade of the hotel to the water pipes, we have constructed a sports club for the Mananitas team. The idea behind this came from conversations that I had had with Mr. Krause. We purchased an old house on Avenida Alvaro Obregon, a short distance from "Las Mañanitas" for this installation.

We completely demolished the old house. Part of the land was set aside for the club. The club has a complete gymnasium, showers, steam room and sauna, a tatami for practice of martial arts and a squash court. Aerobics classes are offered. There is also a game room with billiards and ping-pong and a sitting area where one can relax and watch television.

We had a more important reason for constructing the club than that of offering simple diversion. Our objective was that the personnel have full confidence in the continuing development of "Las Mañanitas" and that they , as well as their families, have a healthy atmosphere in which to meet. They were very pleased and felt that the future of our organization was promising.

On the remaining part of the land, we built a parking lot with a capacity for 120 cars for our clients' use. This also underlined the fact that we were going ahead with our plans for expansion and improvement.

We began construction in 1981 and finished toward the end of 1983. As we all remember, those were difficult years for Mexico. We were able to prove that the economic crisis that Mexico was undergoing had not affected "Las Mañanitas". Rather, our volume of customers was increasing.

On the land that Mr. Krause had purchased, we built eight "Garden Suites" which are very much appreciated by our clients. The construction, which was completed in 1986, was carried out by Hector Roman, under the direct and constant supervision of Mrs. Krause and myself. We wanted to be sure that Mr. Krause's ideas regarding volume, atmosphere and decor were being respected.

Mrs. Krause has excellent taste and her assistance has always been valuable. The basic principle followed by Robert Krause in designing anything, was to put himself in the client's place, to imagine what the client would like. He could thus please the client by creating a restful and comfortable place in harmony with Nature.

The eight suites were built over the service areas which had been constructed during Mr. Krause's life. This work included the expansion of the kitchen, the store room and purchasing department, the cold rooms, the laundry and linen rooms as well as the administrative offices. This had been necessary due to the growth of the company. The work had been done by Roberto Rivera Aranda.

With the completion of the "Garden Suites", overlooking the pool and garden, with its magnificent Zuniga sculpture and "Mexican-Japanese" lake, the expansion phase was concluded.

Our restaurant has confirmed its place among the best in the world, and our personnel, more numerous than before, has maintained the high level of excellence instilled from the beginning. I want to emphasize my profound gratitude to the personnel. When Mr. Krause passed away, not only Mrs. Krause and her daughter, Rebeca, but all, each and everyone, of the members of the personnel confirmed their confidence in me.

At a meeting which took place a few days after our loss, they gave me their enthusiastic support. With real conviction they said: "You can do it, Ruben. We're with you. We will support you."

Bearing in mind the greatest lesson my incomparable teacher, Roberto Krause, gave me, I have always tried to make them feel pride in their value as human beings; pride that they are capable of thinking, of discerning and of making the right decisions by relying on their experience and acting with goodwill. I believe that we have been mutually benefited in this manner. They have learned something from me, and I have learned a lot of good things from them.

I could say many things about Mrs. Margot Krause, to whom I owe so much. Her advice, not only in business matters but also in personal problems has always been very valuable. She has always shown interest in my family, my worries and my anxieties. It is the same with her daughter, Rebeca, who, as I already mentioned, I had the honor to escort to the altar on her wedding day, in her father's stead. Rebeca is, for me, the perfect example of generosity towards others.

And what can I' say about my wife, Linda? She has been my strongest and most loving supporter during all the years of intense struggle.

I first met Linda when she was ten years old. Her parents, Bud and Doris Scheuing, he an American and she Canadian, were friends of Mr. Krause and his parents. They often came to "Las Mañanitas" with their two daughters, Patricia and Linda, from the time I was a lowly employee. The family gradually came to offer me their friendship. Many years later, I fell madly in love with Linda and had the fortune and joy to marry her. I hold this marriage to be the happiest occurrence of my life. Linda has been an admirable wife and mother. In the difficult times she has been my strength and my inspiration.

Speaking of difficult moments, I must refer to the enormous problem that the Mañanitas-Ixtapa project came to represent for Mrs. Krause and me. It was in the gestation phase when Mr. Krause died. As I have mentioned, the project was ambitious. We decided that we would try to sell it in order to repay the enormous loan, plus accrued interest that we had obtained from a Swiss bank, and reimburse those who had made down payments on their future condominium purchases.

For several weeks I was overwhelmed by this problem. Fortunately, I found a buyer and we were able to discharge all our obligations, and even make a small profit for the Krause and Cerda families.

I then concentrated all my efforts in Cuernavaca to ensure the continuing success of "Las Mañanitas". With the heaven-sent help of Mr. Krause, we have been successful.

At the close of the decade of the 80's and the beginning of the last decade of this century, "Las Mañanitas" with its glorious gardens, its elegant and comfortable suites, and its excellent service, has a prestigious standing in Cuernavaca, Mexico and abroad.

THE CLIENTELE OF "LAS MAÑANITAS"

The clientele of "Las Mañanitas" has been, from the beginning, very select. We are very proud of their patronage. It has been a fundamental factor in our success.

I wish to express my deep gratitude to each and everyone of our clients. Most of them praise our service, pointing out that which has pleased them and this is very encouraging and useful. But we also consider it extremely beneficial when some point out a failing or an involuntary mistake. Healthy criticism enables us to optimize the excellent service which it is our desire to offer.

During our thirty-five years, we have had regular customers who return time and again to "Las Mañanitas" and who have become our friends. Many of our regular clients are permanent residents of Cuernavaca, Mexicans and foreigners alike. But many others come from various cities in Mexico and abroad, making "Las Mañanitas" their favorite spot for vacations and relaxation.

Some who came here as sweethearts, have returned to celebrate their wedding anniversaries, accompanied by their children or even their grandchildren! They feel at home here. Our gardens are an extension of their homes and that is why they so enjoy sharing them with their families. Many of our clients come to celebrate a birthday and we try to outdo ourselves in gratifying their every need.

Naturally, all our clients are important to us regardless of their nationality, origin, economic or social status. Our gardens, our rooms and our service exist for them. They are the "raison d'etre" of "Las Mañanitas". Many of our clients are world travelers. They have visited interesting places, magnificent hotels and restaurants. Nevertheless, they assure us that their favorite spot is "Las Mañanitas". They feel that they are especially well taken care of here. They feel that it is their special place and we truly consider it to be theirs.

We frequently receive groups from the United States who are celebrating a special event. They usually make their reservations a year in advance. This happens a lot, for instance, over the Christmas and New Year's holidays. We arrange special festivities for these memorable occasions. We realize that they have left their homes to visit us from far away and we are most grateful for their patronage.

We have had particularly significant occasions. Some clients, who have been coming here since childhood, have decided years later to spend their honeymoons in "Las Mañanitas". On these occasions we prepare something very special, making those days of new beginnings into lasting memories for them. Naturally, there are certain dates that are special. Our Mexican clients love to celebrate Mother's Day and Independence Day on the eve of September 15th. On that day, we organize in our gardens,a patriotic ceremony of civic fervor. In a very respectful and solemn manner, we give the "grito", the Mexican cry of independence and sing our national anthemn.

Many of our American clients come to celebrate Thanksgiving. They say that our turkey dinner is homestyle cooking. "It's just like Mother's", we have been told by many.

Many of the American residents of Cuernavaca, who have favored us with their constant patronage, have said, "What would we have done without "Las Mañanitas"?".

We are deeply grateful for their patronage and friendship and thank all those who bring their friends and families from other countries. Many come to "Las Mañanitas" to remember their loved ones who have passed away and to evoke memories of them.

The list of famous people and celebrities who have been with us is endless. We have had the pleasure of serving both Mexican and foreign movie stars; notable political and cultural figures; writers, artists and famous international sport celebrities.

Their presence is most flattering, but so is the presence of those without fame who also come to enjoy our gardens, food and lodgings. We consider all our clients to be the most wonderful people. They are our teachers, they guide and mold us in the most difficult of disciplines: the Discipline of Excellence. Their praise inspires us to better serve them. Their satisfaction is our greatest pride.

ANECDOTES OF "LAS MAÑANITAS"

Over the past thirty-five years, thousands of people have honored us with their presence at "Las Mañanitas".

In the beginning, when we only had five rooms, our busiest time was over the weekend, particularly Sunday. Families came from Mexico City to eat and swim in our small pool, which was where our cabanas are now located. We would offer them a place to change into their swimsuits.

At this time, Mr. Krause had his dog Pixie, a playful little figure and the "Las Mañanitas" mascot. Despite the fact that Mr. Krause tried to train her well, Pixie would run around the garden and sometimes would sneak into the dressing rooms and emerge with an article of clothing between her teeth. Mr. Krause would have to catch her and salvage the garment, appearing to be most upset. Down deep, I think he enjoyed Pixie's pranks as they were quite harmless and she did treat her prizes with care.

As "Las Mañanitas" acquired a different status, this small pool was replaced by the cabanas, and a larger pool, reserved exclusively for hotel guests, was built in the second garden.

We began to receive distinguished guests from Mexico and abroad. Our personnel particularly remember a visit by England's Prince Philip, consort of Queen Elizabeth, who was most kind and courteous, as was President Richard M. Nixon, to mention only a few.

We were particularly impressed by the visit of the Shah of Iran, Reza Pahlavi, and his beautiful wife, and by their sizable security arrangements. These security forces were made up of Iranian, American and Mexican agents who continuously guarded the Shah, both inside and outside "Las Mañanitas". In spite of all this, the Shah was very amiable. He asked to personally congratulate our Chef, Manuel Quinto, and his staff for the delicious dishes, and all the personnel for the excellent service.

From the film world, we were visited many times by two great Mexican stars, Maria Felix and Dolores del Rio. Two great ladies who have earned our respect and admiration. Among the international stars were Elizabeth Taylor and her then husband, Richard Burton, who caused quite a flurry. Omar Sharif was so delighted with "Las Mañanitas" that he stayed for a month and a half.

I'm only mentioning a few names. I could add many more, among them that of Pedro Armendariz. He was here the day I began working at "Las Mañanitas", on February 25, 1956. I was very excited because I had often admired him on the screen and had never imagined that I would see him up close and in person. Pedro Armendariz used to go to the kitchen and ask the Chef to add certain sauces and condiments to his food. Nor can I neglect to mention the popular star, Mario Moreno "Cantinflas", who is much admired by our personnel.

The names from the Mexican political world would be too long to list here. We've had Presidents, Governors and many other high public officials.

From the literary and artistic worlds, we have received an equally great number of people whom we have served with admiration and respect. The works of art that adorn "Las Mañanitas" attest to this appreciation. I must especially mention our dear friend and world-renowned sculptor and artist, Francisco Zuniga, whose works can be admired in our gardens and rooms. A great friendship existed between Mr. Krause and Zuniga, enriched by their frequent and long conversations.

We have also received very well known figures from the world of sports. It will suffice to mention the world-famous soccer player from Brazil, Pele. We had to set his table in one of our private suites because he was beseiged by his admirers, constantly asking for a picture, an autograph or simply a look in their direction.

We cherish fond memories, not only of these world famous celebrities, but of all of our clients. I would like to include all their names because each and everyone of them is equally important to us. It is a shame that I can't and that I shall never know what special memory they hold of "Las Mañanitas". I hope it is a pleasant one.

RELAIS & CHATEAUX

The Relais & Chateaux Chain was created in France 35 years ago. It was soon extended to other countries to include diverse hotels and restaurants whose services had the required degree of excellence. Its success has been so great that it now includes 378 establishments in 36 countries around the world.

It is a privilege to belong to this prestigious organization. Only two hotels in Mexico are members. "Las Mañanitas" is proud to be one of them. The Relais & Chateaux defines our category in the following words: "The refined comfort of a luxury residence."

Each year a convention takes place which the owners or managers of the affiliated establishments attend. This gives us an excellent opportunity to meet our colleagues and exchange experiences. This important relationship is not limited exclusively to annual high level meetings. Permanent ties of communication exist and generate reciprocal visits, favoring the exchange of ideas. It also helps to channel tourists wishing to find comfortable lodgings with optimum restaurant and hotel service when traveling to other countries. The recommendations of the Relais & Chateaux Guide are a guarantee for travelers.

In addition to these benefits, the exchange of personnel among the various establishments is most fruitful. This exchange enhances the professional training of chefs, headwaiters and administrative personnel.

On a regular basis, experts representing this chain make inspection visits to member establishments to ascertain that the level of excellence in all services is maintained. This is a requisite for continued membership.

Of course, visits are made to other establishments whose quality may permit them to become members. Our affiliation was the result of such a visit by Mr. Regis Bulot, President of the Relais & Chateaux Chain, who was extremely satisfied with our quality and service.

In June of this year, Mr. Olivier Borloo, General Manager of the Chain, and Mr. Stephen Zimmerman, President of the Delegation for the United States, Mexico, Bermuda and the Caribbean, were here to present the 1990 Relais & Chateaux Guide in our gardens. We took advantage of this visit to suggest the possibility of affiliating other Mexican establishments, similar to ours. This would help to increase the number of foreign tourists, thus supporting the promotional efforts being made by government authorities and hoteliers of our country.

Mexico not only needs to continue to build more hotels but to improve the quality of these and to be able to count on better qualified administrative personnel. This is what we heartily desire and know can be achieved.

A TYPICAL DAY AT "LAS MAÑANITAS"

It is six o'clock in the morning in Cuernavaca. The city is awakening while all remains calm at "Las Mañanitas". The guests are sleeping. The gardens are cool and fresh. The last shadows are disappearing from the folliage of the trees. Flowers are regaining their vivid colors. Half an hour later, a new work day begins.

The kitchen personnel are the first to arrive. They make coffee, start baking bread and preparing breakfast, with the help of the store room staff who provides the necessary ingredients.

Then the cleaning staff arrives. All the service areas, floors, walls and windows must be impeccably clean. While this is being done, the gardeners are sweeping up the leaves that fell during the night, pruning and clipping, watering the grass and feeding the flamingos, cranes, peacocks and other birds. The laundry personnel and chambermaids are also beginning their work. And of course, the maintenance department, the mainstay of all the rest, is busy checking the boiler pressure, the refrigeration equipment and the overall functioning of all systems.

By the time the guests arrive in the dining room for breakfast, the tables are all set and the waiters greet them with a smile and a friendly "Good Morning".

At that time too, the intense office work begins. We have received correspondence that must be dealt with immediately. We revise and confirm reservations, and check the accounts, bills and receipts. The computers function as if they were a part of the personnel! The purchasing department places its orders, some of them urgent. Inventories and bills are checked. Most importantly, the orders of the day are given and administrative decisons made. The entire organization is run from the office.

By noon, the gardens, bathed by the beautiful sunshine of Cuernavaca, are ready to receive the clients who will go to sit in the shade of the trees and cabanas and enjoy a refreshing drink. The bar staff has prepared everything: the glasses, the ice, the sliced fruit, the freshly squeezed juices and all the drinks to satisfy each client's taste.

A little while later, great animation reigns in our establishment. One can hear the clients conversing, while they enjoy the cozy atmosphere that we have created for their pleasure and well-being. They especially like the peacocks, who seem to be aware of the role they play, spreading their stunning, long-feathered tails.

The most intense and satisfying work for us takes place during the busy dining hours. It is then that we outdo ourselves, confirming daily the excellence of our restaurant service. The activity in the kitchen is feverish. Captains and waiters bring orders, which must be prepared rapidly and carefully so that our guests may savor the delicious dishes. The dining areas are usually filled from one to six o'clock. The waiters, motivated by this busy atmosphere, happily come and go with their heavy- laden trays.

During these hours, the main responsibility falls on the shoulders of the two Food and Beverage Managers, Jose Luis Hernandez and Sergio Osorio. They receive arriving customers with courtesy, assign seats in the garden, and, later, escort them to their table when their meals are ready. They observe and coordinate all the service. They supervise the quality and presentation of the food, go to each table to inquire if the customers are being well served, and bid them farewell, with words of thanks, when they leave.

The greatest satisfaction for them, and indeed for all the personnel, is in knowing that our customers are satisfied with our food and service and say, "Las Mañanitas" is still "Las Mañanitas".

At such times we feel relaxed and happy because we begin each day of the year with the intention of giving the very best of ourselves.

At sunset, the office staff and those in some service departments leave. The rest of the personnel have worked in shifts. During their respective rest periods, they can take advantage of the Club's installations to practice martial arts, play squash, dominoes, billiards and ping-pong, watch television or take a steam bath or shower.

The maintenance department, headed by Don Francisco, cannot interrupt its duties for a moment. Its two groups work in shifts. The same system applies to the receptionists and cashiers, ensuring continuous service.

At 7:00 P.M. it starts to get dark. After a well-deserved rest period, the kitchen staff, the captains and waiters return to their positions. Soon, activity in the bar, cocktail terraces and dining areas resumes. By this time, the illumination of our gardens can be admired in all its beauty. On the tables candles glow in glass lamps, creating a romantic atmosphere for dinner. Chef Marcelino Araujo and his staff are once again hard at work. Captains and waiters are bringing in orders and serving customers, while their helpers are busy assisting them. Once again we can hear the animated conversations of those whom we try so hard to please: our customers - the most important people in "Las Mañanitas".

Normally, service in the dining room ends at 11:00 P.M. An hour later, when the guests have retired, the staff goes home. But sometimes, particularly on week-ends, festive days or special occasions, dining service continues till after mid-night. When this happens, the staff willingly extend their work day because they know that this is part of their duty. During the remaining hours of the night, silence and calm reign once more, while Don Pancho and Nacho, the night watchmen, assume their caretaking duties. In the shadows of the garden, the beautiful birds sleep placidly, and even the trees and plants seem tranquil, awaiting the new day.

BEHIND THE SCENES

A major part of the intense work done by the personnel of "Las Mañanitas" cannot be seen by our customers who come to enjoy our services.

The visible part, the scene, is composed of the dining areas, the terraces, the cabanas and our splendid gardens. There one sees the tables, the floral arrangements, the works of art, the trees and the plants, the captains, waiters and busboys, well dressed and ever ready to serve the customers. Our regular customers know them personally, greet them and sometimes call them by their names. They appreciate the service and the tips which are given are shared by all.

Behind the scenes however, or "back stage" as it were, many people work indefatigably preparing food, baking bread, washing dishes and glasses. In large measure the success of "Las Mañanitas" is due to these people, who almost never have direct contact with the customers, despite the fact that all their efforts are aimed at pleasing them. Their daily work is very intense, sometimes exhausting. In spite of this and of the excellent quality of the dishes they prepare, the applause never reaches them. They can't hear it in the kitchen.

In the beginning, the kitchen was quite small and it was difficult to work there. During the second expansion phase of "Las Mañanitas", after Mr. Krause had bought the land next door, the kitchen was enlarged and modernized. At present, even with a larger kitchen staff, the work area is spacious and comfortably air conditionned.

Our incomparable Chef, Manuel Quinto, to whom I have previously referred, was the head of this important section for more than thirty years. Even before the restaurant was opened to the public on November 19, 1955, he had already begun to work with Mr. Krause. Together they planned first-class service with a rich variety of dishes based on Manuel Quinto's recipes. I do not exaggerate in affirming that he has been a key factor in the success achieved. A true pioneer of our prestige.

I believe that a good cook, a true Chef, is born with this gift, which he later develops with experience, guided always by a natural instinct whichwe call "good seasoning" or a "good hand for cooking".

Many other people have had a hand in elaborating the superb menu of "Las Mañanitas" starting with Mr. Krause himself and his wife, who contributed ideas and knowledge, as I did after my training in Mexico and Europe. But the chief protagonist has been Manuel Quinto, who proudly directed the kitchen for so many years, passing on his wisdom and knowledge to his collaborators.

Unfortunately, some recent health problems have forced Manuel Quinto to cut back on his work. He now limits himself to supervising kitchen activity and has been replaced as head Chef by Marcelino Araujo, one of his disciples, who started working in 1961 and was trained by Don Manuel.

"During the first month", says Marcelino, "the only thing he would let me do was prepare and cook vegetables. Later he taught me everything: how to prepare appetizers, salads, and the most sophisticated dishes and desserts."

Marcelino was also born to be a Chef. He says he always dreamed of being a cook and left his job as a silversmith in Taxco to place himself under the direction of Manuel Quinto.

Neither of them, despite the importance of their work, has any contact with the people who enjoy their artistry. Curiously enough, however, both of them know our regular customers. Not personally but by the dishes they order! Some of these have very definite and particular tastes and both Manuel Quinto and Marcelino do their best to satisfy these special requirements.

This is a cardinal rule at "Las Mañanitas". The customer must be given everything he wants. If he wants a dish to have a blue or pink bow, he will have a dish with a bow!

The only thing they regret, perhaps, is that they receive the clients' congratulations only indirectly. Occasional complaints also come to them in the same manner, passed on by the captains or waiters. But this also helps, as it obliges them to better themselves.

Their first daily task consists in drawing up the menu for the following day, offering a wide variety of dishes. Of course, many dishes are always on the menu as they are customer favorites and in great demand. At "Las Mañanitas" we are constantly experimenting with new dishes which are subjected to various tests before they appear on the menu. They have to be approved by the Captains, the waiters, the management and finally by Mrs. Margot Krause, who has excellent taste. Only after full approval, do these dishes appear on the menu.

The kitchen staff all love their work - the Chefs, their helpers, the pastry chefs, and even the dishwashers. To me, each of them is important and I respect each of their jobs.

Chef Marcelino customarily says, "I am part of "Las Mañanitas". From the very beginning I put on the "Mañanitas" shirt and became fond of it. Furthermore, I can assure you that not only do the customers eat better here - so do the employees."

This last observation is most important. All the personnel at "Las Mañanitas" eat well and can choose the dish of their choice. Mr. Krause established this custom to show his great appreciation of his collaborators, with whom, as I have said, he liked to share his table at breakfast, lunch and dinner.

Kitchen work has an important support system. Bread is made in our own ovens. The refrigeration and freezer equipment is fundamental, not just in preserving food but in keeping it at the correct temperature. The same can be said of the storage rooms where food and products are kept and carefully inventoried.

Carlos Esquivel was in charge of this department for over twenty-five years. Jorge Sandoval is now in charge of the purchasing department.

Another invisible job and one of great importance to the business is that of Emilia Villegas who calculates the cost of each dish, supervises its quality, and, with my brother, Roberto, determines its price.

The housekeeeping department under the direction of Beatriz and the laundry under that of Josefina must be mentioned with praise.

Of enormous importance is the maintenance of all the installations carried out by Don Francisco and his collaborators. Regular and preventive maintenance service is very valuable in this type of business.

The work mentioned above is not seen by our customers which is why I refer to it as "invisible". Naturally, the backbone of this "invisible" work is the administrative department on all levels: the Director, the Managers and the trusted office staff.

My most solid support in the administrative area comes from Victor Sanchez and my brother, Roberto. The responsibility for the company rests on the three of us. We are the center from which all important decisions emanate, those which determine the success or failure of the organization.

To help us in this, we rely on a small but efficient office staff composed of Rosita, Maria Elena, my sister-in-law, Patricia, and Dulce, who, during eight hours each day, carry out their tasks most responsibly. I should also like to mention the important work that Jose Luis Hernandez and Sergio Osorio do at a managerial level in the restaurant.

All are an extension of Victor, Roberto and me, our arms and hands, and thanks to their help, we are able to achieve high quality service.

Even more invisible to our customers, are the invaluable accounting services furnished so efficiently by the Inesta family. Initially headed by Don Miguel Inesta, it is now controlled by his son, Jose. In legal matters, we were assisted by Lic. Antonio Riva Palacio Lopez for many years and, more recently, by Lic. Eduardo Rojas. During the past few years, our legal advisor and close friend has been Lic. Hugo Salgado Castaneda. For their invaluable and highly professional help, we feel that they, too, are a part of the "Las Mañanitas" family. I give them our deepest thanks.

I cannot possibly overlook my dear friend, Hector Roman Salgado, not only because of his professional excellence which can be admired in the lovely suites and cabanas he designed and built and upon which he put the seal of colonial architecture characteristic of our establishment, but also because of the affection he has always shown for "Las Mañanitas".

Without this human effort behind the scenes, never seen by our customers, the success of "Las Mañanitas" would not have been possible.

A TRIBUTE TO THE PERSONNEL

At present, our team of collaborators is numerous. Each member of this team has his own tasks and responsibilities which he fulfills with efficiency and dignity. They are all important to me. They are all valuable, from General Manager, Victor Sanchez, who began with us as a cashier, to those who perform the most menial jobs.

All of them are on the Honor Roll of "Las Mañanitas", which appears in this book. They are listed in alphabetical order, including, of course, those who have passed away as well as those who have left us for other reasons.

Some of them welcomed me to "Las Mañanitas" and offered me training and advice on my job and personal matters. This was most valuable to me as a young man.

I owe what I am in good measure to all of them. I thank them for their patience and loyalty. Thanks to them, excellence in service began at "Las Mañanitas". I also express my gratitude to all the absent personnel. I don't want them to ever think that we have forgotten them.

I thank them for their long days of work when "Las Mañanitas" was just beginning. They wore their uniforms with pride and worked hard and efficiently during those difficult days at "Las Mañanitas".

To all those who are absent, my thanks. We know that although they are not now with us at "Las Mañanitas" we can count on their help, affection and understanding and, if we ever need them, I am sure they would come and help us with pleasure as we would help them if ever they have need of us.

To all the current personnel, I want to express my infinite gratitude for their enthusiastic collaboration. Thanks to them I have the much needed time to organize "Las Mañanitas" in such a way that we can continue growing with ambitious projects.

THANKS FOR BEING WITH ME.

Without a doubt, you are the best team in the world. This team can attain great goals and face difficult challenges.

I ASK YOU:

Have confidence in me.

Our growth will include the entire personnel of "Las Mañanitas" and should receive the support of us all, especially those who have been here for a long time, because we have had to work hard to get where we are. We must keep growing and teaching others how to work. Only in this manner can we repay the opportunity given to each of us when we most needed it.

I also ask you to NEVER GIVE UP even though the problems to be faced while struggling to overcome our limitations seem to be greater than we could have imagined.

We can be sure that, together, we can attain the goals and objectives that we have set, however ambitious they may appear, but only if and when, WE ACCEPT AND LIVE BY THE TRUE VALUES that have made "Las Mañanitas" so successful. Values which are:

LOVE, JUSTICE, HONOR, FELLOWSHIP, HUMILITY IN AC-CEPTING THAT WHICH WE DO NOT KNOW IN ORDER TO LEARN WHERE WE ARE GOING AND WHERE WE WANT TO GO.

I consider it very important that we decide and commit ourselves to planned and solidly founded goals. That together we may advance in the search of our own success and that of others who will join our team. We will be the stimulus that enables us, not only to express what we want in words, but to live the daily example of Honesty, Sincerity and Love for our uniform.

Finally, I ask you to remember the teachings of Mr. Krause. Especially those given on his last New Year's Eve, in Cabana 36, where, with a look both sad and happy, he gave us his blessing that we might follow the road he had traced for us.

If we attain these goals, we will fill our children, our families and our loved ones with happiness. In attaining them, we will leave, for those who will follow us, a "Las Mañanitas" that is great.

Ask God that all this may be accomplished. Pray to Him, as we struggle and work towards these goals.

SPECIAL THANKS

To Mrs. Margot Urrea de Krause, for the support and confidence she has shown me personally and in my work. For making me feel, in shared moments of great satisfaction and deep sorrow, that the Krause and Cerda families are one and the same, together with the "Las Mañanitas" family.

It has been said that behind every great man there is a great woman. She was the great woman behind Mr. Krause, his sweet and loyal companion. Her refined good taste is reflected in everything she does, as in the decoration of the rooms and the gardens of "Las Mañanitas". I am also grateful for the help and affection she continues to offer to all the personnel.

To Mrs. Rebeca Krause de Bernot, for her youthful point of view, her joy and her confidence in me. For the honor of allowing me to stand in for her father, on all the most important occasions of her life. She has treated my wife, Linda, and my daughters, Paty and Sandy, with the love and affection shared by sisters.

To Mr. Francisco Bernot Barragan, for bringing his enthusiasm and happiness to the family and for sharing his life and that of his children, Francisco and Lorenza, with us, filling us with joy.

To Linda Scheuing de Cerda, my beloved wife, who has always understood my obligations, for accepting the long years of difficult and irregular working hours, without expecting or demanding that I always be with her, for putting aside her own needs. She always supported me in helping my parents and brothers, making me realize that what we gave them was an investment in the future. She has made of my home a place of sharing and love.

To my daughters, Paty and Sandy, who are the greatest hope and pride of my life. My thanks for giving me the opportunity of being a father. For allowing me the joy of holding them in my arms at birth. For discovering in them their great sense of love and justice. For sharing their doubts and points of view. For accepting my advice, given in the hope that their decisions in the future will be the correct ones and that, once made, those decisions will be acted upon no matter how hard they seem so that they may reach their goals and realize their dreams. They are the joy of our home. I thank them for caring so much for me and their mother and for their values which are the basis of all their acts.

To my parents, for having given me the gift of life and for having guided my steps during my formative years. I believe that mothers, in particular, are the great teachers in life. My mother was that to me. I will always carry her loving words within my heart.

To my sister and brothers, for having accepted my advice and guidance and for having understood my anxieties in leading them into the future. My thanks for having believed in me and for having done well in life, not only as brothers but also as good friends, parents and men of success. I thank God for giving me such a wonderful family.

To Roberto, my youngest brother, for always having accepted that which I could give, but never demanding more. He agreed to work outside of Mexico as part of his training for work at "Las Mañanitas". By hard work and personal merit, he was able to earn the trust of Mrs. Krause and of all those who work with him. He has been patient with me and made me see the need to be up-to-date, introducing computers to modernize our work system. His only handicap in "Las Mañanitas" has been being my brother.

To the Scheuing family, my gratitude for having always treated me with kindness and affection, even when I was young. From Doris, especially, I received words of encouragement, at a time when she could not have known that I would become her son-in-law, by marrying her daughter, Linda. My sister-in-law has always been very supportive of me, both in my personal as well as professional life. She has always believed in me and worked with me. I thank her for her invaluable help in translating this book into English

I express my thanks to all those who have helped me throughout my life and who are my friends, sorry only that I cannot mention each and everyone of them in the special manner they deserve. I beg you to consider yourselves included in my thanks, as should every client of "Las Mananitas".

Finally, I wish to express my thanks and profound recognition to Carlos Elizondo for his advice and help in writing this book. We have formed a reciprocal and deep understanding of each other and a sincere and lasting friendship.

EL EQUIPO DE "LAS MAÑANITAS"
LAS MAÑANITAS' TEAM

ADMINISTRACIÓN

Abonza Delgado Rosa María
Alcántara Nájera Román Erick
Brito Hernández Víctor Vidal
Cerda Valladolid Roberto
Cerda Valladolid Rubén
Ceballos Olivares Dulce
Cowal Robbins Gregorio
Denat Patricia
Hernández Hernández José Luis
Hernández Gutiérrez Andrés
Martínez Loza Ma. Elena
Osorio Soria Sergio
Sánchez Rodríguez Víctor

COCINA

Araujo Díaz Marcelino
Arroyo Delgado Agustín
Avilés Romero Jorge
Bahena Quinto Manuel
Bahena Zagal Luis Santana
Campuzano Valdez Ricardo
Castrejón Rogel Manuela
Castro Peña Virginia
Cortés Ochoa Roberto
Elguea Pérez José
Flores Ortiz Estela
Fuentes Lara Custodio
Galeana Lagunas Vicente
García Duarte Francisco
García Lagunas Guadalupe
Hernández Sotelo Alicia
Jaimes Nava María Félix
López Orduña Pedro
Martínez Melchor Felimón
Mendoza Sandoval Irma
Millán García Raúl
Montoya Márquez José
Navarrete Cipriano Israel
Rodríguez Morales Cristino
Rosales García Amador
Saldaña Figueroa Rosa Ma.
Saldivar Torres Saúl
Solís Rentería Pablo
Soto García Rogelio
Valladares Pereira Domitilo
Vega González Victoria
Vega Lozano Ana Leticia
Villanueva Sandoval Vicente
Zagal García Marcos

COMEDOR

Aparicio Salgado Luis Antonio
Ayala Francisco Javier
Brito Gama Rogelio
Brito Mendoza Juan
Camarillo Ortiz José Luis
Damián Basabe Enrique
Damián Basabe Galdino
Delgado Lagunas Víctor
Díaz Beltrán Jesús
Elguea Hernández Ignacio
González Torres Álvaro
Hernández Cisneros Alfonso
Hernández Cisneros Daniel
Hernández Ramírez Benjamín
Hernández Rivera Eduardo
Ibarra Camacho Amado Fernando
Martínez López Heliodoro
Moreno Vargas Ramón
Palacios Alejandro
Pérez Díaz Francisco
Ramírez Martínez Rafael
Ramírez Martínez Santos Eliseo
Reyes Ávila Luis
Reyes Flores Emilio Javier
Rodríguez Contreras Sergio
Rodríguez Reyes Lino
Ruiz Flores Guadalupe
Salgado Paredes Juan
Serrano Fidel
Silvar Gómez Fernando
Soto Cruz Alberto
Tlatelpa Bello Alberto
Toledo Alonso Crisóforo
Vargas Arturo
Vargas Brito Galdino
Vega Vega Hemigdio
Velázquez Andrade Antonio
Velázquez Garza Mario
Velázquez Gómez Mario
Vera Sotelo Rubén

PLANCHADOR

Alanís Figueroa Socorro
Alday Arce Beatriz
Barona Álvarez Victoria
Bastida Rojas Martha
Cruz Martínez Rufina
Figueroa Arce Josfina
Guadarrama Zamora Ma. del Carmen

Hernández Carpintero Arcadia
Hernández Reza Patricia
Izquierdo Calderón Celia
Jaramillo Isabel
López Figueroa Raquel
López Navarro Elia
Martínez Domínguez Esther
Martínez Téllez Cecilia
Pérez Martínez Martha Elva
Quintero Campos María Socorro
Rodríguez Contreras Verónica
Salgado Ocampo Hortencia
Torres Valladares Bertha

ALMACÉN

Espino Escobar Humberto
Moreno Sánchez Ernestino
Ponce Carrillo José Luis
Salgado Salgado Arturo
Sandoval Vera Jorge
Villegas Castañeda Emilia

VELADORES

Ceballos Morales Ignacio
Damián Torres Francisco

PORTEROS

Bobadilla Castro Aurelio Rafael
Gándara Escobar Sergio
Jaimes Vargas Mario
Romero Gómez Adrián
Torres Pérez Jesús
Vértiz Plata Hilario
Vizcarra Ruiz Paul Humberto

MANTENIMIENTO

Ayala Javier
Bernal Heliodoro
Castro Jaimes Rodolfo
Jiménez Paredes Francisco
Juárez Martínez Pablo
López Filguero Santos
Tlazola Cruz Francisco
Villanueva Moreno Francisco
Zepeda Mendoza Roberto

JARDINEROS

Hernández Trejo Indalecio
Lira Hernández Gonzalo
Manzanarez Osorio Maurilio
Martínez Guzmán José
Ramírez Estrada Fulgencio
Ramírez Solórzano Rubén
Sánchez Salgado Tomás

MÚSICA

Aburto Lorenzo
Madrigal Juan
Montero Benito
Ramírez Hipólito

CLUB Y ESTACIONAMIENTO

Bustamante Aguilar José Luis
Morales Díaz Gabriel
Morales Díaz Gonzalo
Morales Díaz Miguel
Reyna José

EMPLEADOS AUSENTES

Acevedo Ortiz José Juan
Aguilar Ávila Filogonio Domingo
Águila Vázquez Rafael
Aguirre Fredesvinda
Aguirre González Erendia
Aguirre Montes de Oca Domingo Enrique
Alba Brito Fernanda
Alcántara Linares Máximo
Alcocer Betancourt Mauro
Almaraz González Domitila
Alonso Alfredo
Alonso Castañeda Enrique

Alonso Castañeda Ma. Eugenia
Alpizar Sánchez Ángel
Alquisira Rodríguez Martín
Altamirano González Noel
Alvarado Hernández Teodora
Alvarado Ortega Severiano
Alvarado Reyes Emilio
Alvarez Ocampo Leopoldo
Amaya Fuentes Horacio
Amezcua Escamilla Isidro
Amezcua Suárez Enrique
Ángeles Morales Valentín

Antúnez Alcocer Senen
Araizaga Cid Ma. Teresa
Aranda Zavala Carlos Manuel
Aranda Zavala Genaro Alfonso
Arce Flores Julia
Arellano Martínez Gilberto
Arellano Moreno Rodrigo
Arenas René
Arillo Herrera Eleuterio Marti
Arizmendi Aguirre Domitilo
Armenta Castañeda Antonio
Arzola Barrera Héctor
Arraiga García Alberto
Arrellano Armenta Francisco
Arreola Téllez Hilarión
Arrieta Esqueda Arturo
Arroyo Mendoza Severo
Asturilla García Carmen
Avilés Chávez Ernesto
Ayala Arizmendi Fulgencio
Ayala Guerrero Juan
Badillo Díaz José
Bahena Campuzano Juan
Bahena Lugo Tomás
Bahena Ocampo Pablo
Bahena Ocampo Ponciano
Bahena Zagal Aristeo
Bailón Basilio Isaak
Balmaceda Hernández Carlos
Balmaceda Hernández Rodolfo
Balladares José Cruz
Barragán Velázquez Jesús
Barrera Brito Eduardo
Barrón Lagunas Joel
Bautista Barragán Jorge
Bautista Ramírez Nabor
Beltrán Castañeda Arturo
Beltrán Trujillo Lázaro
Benítez Aguirre Jesús
Briones Santín Martha
Brito Armenta Imelda
Brito Delgado Alicia
Bustamante Román Gildardo
Bustillos Carmen
Caballero Suárez Carlos
Cabrera González Mercedes
Cabrera Trinidad Luis
Cabrera Trinidad Sigfrido
Caciano Millán Juan
Calvario Salgado Crescencio
Calzada Orozco Erasmo
Calzada Orozco Juan
Camarillo Ortiz Uriel
Cambray Balladares Miguel
Campos Cruz Cornelio
Campos López Rubén
Campos Márquez Marcial
Campos Salmerón Ernesto

Campo Campuzano Alfredo
Campuzano Márquez J. Habaco
Canas Cienfuegos José Luis
Cárdenas García Rigoberto
Carmona Carmen
Carmona García Alberto
Carmona Segura Reynaldo
Carvajal Gutiérrez Esteban
Carreto Roberto
Carrillo Deloya Rebeca
Castañeda Martínez Adolfo
Castañeda Pérez María Magdalena
Castañeda y Mendoza Salvador
Castillo Martínez Genaro
Castrejón Astudillo Ana María
Castrejón Guerrero Santos
Castrejón Hernández Paulino
Castro Gómez Marisela Genoveva
Castro Salazar José
Cázares Gales Ernesto
Cedillo Díaz Manuel
Cedillo Ortiz Pedro
Celín Sámano Adolfo
Cerda Méndez José
Cervantes Castillo Felipe
Cervantes Yolanda
Colima Abuedio
Colín Adolfo
Corazón Medina Pedro
Cordero Muñoz Javier
Corona Carlota
Cortés Espinosa Ángel
Cortés García Víctor
Cortés Ocampo Roberto
Cortéz Barrón Benjamín Mauricio
Cortina Tomasa
Correa Elías
Cruz Ángela
Cruz Gil Carmen
Cruz López Lucía
Cruz Sánchez Cornelio
Cuéllar Efraín
Cuevas Giles José Vicente
Cuevas Rivera Inocente
Cuevas Urióstegui Manuel
Chagolla Maldonado Juan
Chávez Cabrera Francisca
Chávez Morales Celestino
Chiesa Ligresti Mark
Damasio Obispo Marcos
Damián Bahena Mariano
Damián Basabe Juan
Damián Flores Feliciano
Damián González Alfonso
Delgado Beto Rutilo
Delgado Giles Francisco
Delgado María Auxilio
Delgado Millán Ramón

Delgado Ramírez Carmelo
Delgado Zavaleta Juan
Deloya Godínez Roberta
Deloya José
Del Carmen Pineda Demetrio
De la Cruz Morán Cándido
De la Fuente Villamar Clarisa
De la Rosa Aurora
De la Rosa Ramón
De la Sancha Leobigilda
Díaz Beltrán Reyes
Díaz Cantú Alicia
Díaz Cardoso Fco. Javier
Díaz Martínez Filiberto
Díaz Martínez Ricarda
Díaz Meza Ángel
Díaz Ocampo Baldomero
Díaz Velázquez Juan
Dímas Domínguez Juan
Domínguez Juana
Dorantes Roque
Elguea Pérez Jesús
Enrique Báez Felipe de Jesús
Escalera Barajas José
Espinoza Maldonado Manuel
Espinoza Ocampo Ángela
Esquivel Jorge
Esquivel Sánchez Carlos
Estrada Arroyo Hermelindo
Estrada Avilés Leobardo
Estrada Flores Ofelia
Estrada Hernández Edelmira
Ferrer Lugo Alfonso
Figueroa García Ma. de Jesús
Figueroa Guadarrama José Isabel
Figueroa Vázquez María
Flores Bahena Humberto
Flores Benítez Lino
Flores Córdoba Sebastían
Flores Chávez Jovita
Flores Chávez Luis
Flores Hernández Francisco
Flores Jacobo Agustín
Flores Martínez Irma
Flores Rojas Marco Antonio
Flores Rosas Teodora
Flores Sánchez Oscar
Flores Terán Abel
Flores Vences Gustavo
Fuentes de la Paz Gregorio
Fuentes López Máximo
Fuentes Ma. Guadalupe
Fuentes Martínez Fernando
Galindo Lázaro
Galindo Ricardo
Gallego González Maurilio
Gama Beltrán Javier
Gama Rodríguez Mario

Gama Salgado Abelardo
García Barrera Marco Aurelio
García Carlos
García Concepción
García Cortés Rigoberto
García Cortés Víctor
García Gómez Tito
García Jiménez Miguel
García Jiménez Pérez Margarita
García Jiménez Pérez Ma. Isabel
García López Cipriano Manuel
García Miranda Donaciano
García Ocampo Oscar
García Onofre Miguel Ángel
García Ramos Víctor
García Roldán Miguel
García Salgado Reynaldo
García Sánchez Imeldo
Garduño Paredes Abraham
Garrido Strevel Aurora
Gaytán Celia
Gil Malacara Agustín
Gil Ortega Fortino Laureano
Gómez Albarrán Ma. de Jesús
Gómez Bahena Jesús
Gómez Carreto Roberto
Gómez García Alfonso
Gómez García José
Gómez Juan
Gómez Montoya José
González Arteaga Mario
González de Márquez Teresa
González Dolores
González Durán Reyna
González Flores César
González Guzmán Alfredo
González Hernández Guillermo
González Íñiguez Fernando
González Íñiguez Mauricio
González Islas Pablo
González López Rafael
González Martha
González Martínez Manuel
González Moisés
González Osorio Alberto
González Osorio Ma. Teresa
González Pérez Pastor
González Pérez Sergio
Granados Romo Salvador
Guadarrama Castro Rosa Ma.
Guadarrama Juárez Juan
Guerrero Jaimes Margarita
Guevara Martínez Félix
Guevara Martínez Ma. de los Ángeles
Guillén González Cristóbal Fidel
Gutiérrez Infante Pablo
Gutiérrez Reyes Felipa
Gutérrez Sánchez Rogelio

Guzmán Celerina
Hernández Buenos Aires Adalberto
Hernández Buenos Aires Bertha
Hernández Bustamante Mario
Hernández Caballero Francisco
Hernández Delgadillo Luis
Hernández Flores Jesús
Hernández González Fernando
Hernández Gudarrama Timotea
Hernández Hernández Antonio
Hernández López de Galán Carmen
Hernández Morales Jorge
Hernández Portillo Rufino
Hernández Rivas Raymundo
Hernández Rivera Onésimo
Hernández Sánchez Enrique
Hernández Sánchez Oscar
Hernández Teodoro
Hernández Torres Martha
Hernández Vallejo Víctor
Herrera Moncado Ma. Luisa
Huber Villegas Axel
Huerta Salazar Martha
Ibarra Camacho Marcos
Ibarra Teresa
Inesta Monmay Miguel
Izquierdo Andrade Hilda
Jasso M. Mario
Jiménez Esteban
Jiménez Pérez Víctor
Juárez León Ángel
Juárez Ortiz Gregorio
Juárez Valladares Elfego
Julián Hernández Felipe
Lagunas Ascencio Felipa
Laiz López Victoria
Landa Ocampo Mercedes
Landa Sánchez Agustín
Lara Juárez Levy
Lázaro Narváez Fernando
Leonardo Montiel Jesús
Leyva Domingo
Leyva Santibáñez Dionicio
Lima Sedano Nieves
Loeza Hernández Albino
López Campusano Aurelia
López Deloya Jesús
López Díaz Ignacio
López Jaimes Joana
López López Ma. Anita
López Medina José
López Nava Vicente
López Núñez Maurilio
López Ramírez Emiliano
López Zavaleta Arturo
López Terrones Julia
López Villanueva Jesús
Luna Ruiz José Jesús

Macías Hernández Jorge
Macías Hernández Ma. Elena
Madera Paredes Dominga
Madrigal Juan
Malagón Dueñas Salvador
Maldonado Arroyo Leónel
Maldonado Riosa Jorge B.
Mancilla Díaz Elvira
Manzano Cuéllar Ernesto
Marchán Villasana José Luis
Márquez Benítez Leonarda
Martínez Agustín
Martínez Aranda Manuel
Martínez Avilés José Juan
Martínez Cortés Adela
Martínez Escobar Sara
Martínez Flores Bernardino
Martínez Hernández Margarito
Martínez Lara Juan
Martínez Martínez Benito
Martínez Martínez Diego Luis
Martínez Martínez Fidel
Martínez Martínez Guillermina
Martínez Martínez Juan
Martínez Martínez Raúl
Martínez Rodríguez Irma
Martínez Bustos Armando
Mauro Avelino Humberto
Maya Elvira
Maya Juárez Raúl
Medina Arriaga Miguel Ángel
Mejía Alba José
Méndez Méndez Jesús
Méndez Romero Sonia Patricia
Mendoza González José Luis
Mendoza Quiroz Juana
Mendoza Tiboco
Mercado Cuéllar Eleazar
Meza Amaro Eustorgio
Mójica Mercedes
Molina Becerril Gregorio
Mondragón Hernández Jaime
Montes Alemán Pedro
Montes de Oca Chávez Nicolás
Montes de Oca Herrera Luis
Montes Vilchis Alejo
Montiel Ávila Ana Ma.
Montoya Julia
Morales Ávila Mauro
Morales Brito Esperanza
Morales Illán Benita
Morales Juan Manuel
Morales Méndez Santiago
Morales Ramírez Ana
Morales Ramírez Lilia
Moreno Flores Alicia
Moreno Rascón Antonio
Moreno San Vicente Humberto

Moyado Reyes Roberto
Muñoz Cabrales Magdalena
Nájera Esther
Navarro Lázaro
Navarro Rapalo Luis Carlos
Nava Agüero Benigno
Nieto Hernández Carmelo
Núñez Pedro
Ocampo Arce Ramón
Ocampo Arismendi Menesio
Ocampo Díaz Jesús
Ocampo Hernández Pedro
Ocampo Sánchez Mateo Alfredo
Ochoa Batalla Ma. Isabel
Olalde Sandía Miguel
Olivares Medina Melquiades
Ordóñez L. Carmen
Oropeza Juan
Orozco Paula
Ortega Bahena Israel
Ortega Jaimes Jesús
Ortega Bernal Roberto
Ortiz Díaz Dolores
Ortiz Estrada Manuel
Ortiz Robles Margarita
Palma Cuevas Mario
Paredes Ortiz Lauro
Patiño García Rafael
Peláez Brito Ricardo
Perales Ramírez Francisco
Peralta Gómez Raúl
Peralta Ocaña Ma.de Jesús
Perea Islas Raúl
Pérez Ávila Faustino
Pérez Díaz Felipe de Jesús
Pérez Jano Camilo
Pérez Lagunas José Miguel
Pérez Urbán Andrés
Pérez Vergara Natividad
Pichardo Ovalle Luis
Pompa Chávez Guadalupe
Ponciano Díaz Humberto
Popoca Marcelina
Porcayo Tapia Antonio
Posada Álvarez Gerardo
Quezada Ocampo Ma. Concepción
Quezada Popoca Marcelino
Quintana Hernández Antonio
Quintana Hernández Marcos
Quintero Carmona Raúl
Quintero Ochoa Leticia
Quiroz Díaz José
Rabadán Cruz Emigdio
Radán Salgado Evertina
Ramírez García Esteban
Ramos Canales Fermín
Ramos Mario
Ramos Salazar Elsa

Renderos Aguirre Hermenegildo
Reyes Altamirano Rogelio
Reyes Soto Sergio
Reyes Téllez Claudio
Reza Ocampo Guadalupe
Reza Zagal Vicente
Ríos Pérez Mario
Rodríguez Álvarez Rosendo
Rodríguez Barrera Gilberto
Rodríguez Benítez Francisca
Rodríguez Campos Carlos
Rodríguez Cecilia
Rodríguez Chávez Bernabé
Rodríguez Díaz Félix
Rodríguez Nolasco David
Rodríguez Rangel Rafael
Rodríguez Rosendo
Rodríguez Sánchez Rafael
Rodríguez Valencia Baldomero
Rodríguez Zamora Félix
Rodríguez Zetina Manuel
Rojas Guarda Agustín
Román Blancos Eulalio
Román Díaz Antonio
Román Guadarrama Roberto
Romero Martínez Ma. del Socorro
Romero Varela Alejandro
Rosales Quezada José Alfredo
Rosas Mendoza Manuel
Rubí Rubí Serafín
Ruiz Estrada Elvia
Sabaleta Terán Daniel
Salas Ortega Ma. De Los Ángeles
Salazar Bustamante Alejandro
Salazar García Jaime
Salazar García Marcos
Salazar Millán Raúl
Salcedo Hernández Porfirio
Salcedo Ocampo Jorge
Saldaña Guzmán Ma. Del Carmen
Salgado Barrera Joel
Salgado Cenobio
Salgado Flores Emiliano
Salgado García Andrés
Salgado Rodríguez Ramiro
Salgado Salgado Anastasio
Salgado Salgado Mauricio Gonzalo
Sámano Martínez Benito
Sámano Martínez Vicente
Sámano Ruiz Leonardo
Sánchez Arturo
Sánchez Carrillo Javier
Sánchez Cordero Luis
Sánchez Esperanza
Sánchez Flores Roberto
Sánchez García Martín
Sánchez Garrido Antelmo
Sánchez Medrano Graciela

Sánchez Orta Rocío Angélica
Sánchez Ortiz Víctor Manuel
Sánchez Rodríguez Fernando
Sánchez Silverio
Sánchez Ventura Jorge
Sandoval Joaquín
Santibáñez Pedro
Santillán Rosales René
Santín Maldonado Ma. De la Luz
Sauceda Cristina
Segura Bautista Onésimo
Serrano Flores León Jorge
Serrano Malagón Ma. de la Luz
Serrano Sánchez Camerino Jesús
Solís Alfonso
Solís Pino Antonio
Soriano Ocampo Jaime
Soria Cortés Delfino
Sotelo Alejandro
Sotelo Bulmaro
Sotelo Hernández Raymundo
Sotelo López Roberto
Sotelo Sotelo Alfonso
Sotelo Sotelo Epildio
Soto Méndez José Luis
Spens Elizabeth
Tapia Rodríguez Teodoro
Tapia Sotelo José Luis
Tejada Figueroa Miguel A.
Tinajero Ángel
Tinoco Paulino
Toledo Cambray Lucía
Toledo Núñez María
Torres Castañeda Gabriel

Truehart Linda
Ubaldo Cardoso Reymudo
Ubbina Vargas Bulfrano
Uribe Salgado Jesús
Urióstegui Cuevas Julia
Valerio Caballero Fidel
Valladares Gómez Eustacio
Vargas Cisneros Urbano
Vargas Santillán Jorge
Vázquez Dímas Socorro
Vázquez Lome Fernando
Vázquez Martha Lourdes
Vázquez Martínez Raúl
Vázquez Ortiz Amador
Vázquez Pérez José Luis
Vázquez Simeón Alejandro
Vega García Manuel
Vega Méndez Refugio
Vega Rosales Refugio
Velázquez Estefanía
Velázquez Javier
Velázquez Juárez Abel
Venosa Salgado Adolfo
Vera Arriaga Jorge Antonio
Vergara Flores Bérulo
Villalobos Gaspar Isidro
Villanueva García Carlos
Virrey Esquivel Sabina
White Libera Joanna
Xochihua Avilez Filiberto
Zacatenco Hernández Leonardo
Zagal Jiménez Oliel
Zamilpa Escobar Eugenia
Zepeda Raúl